中華國學經典百部

精華本

群书治要

〔唐〕魏徵等 编撰

宿磊 译注

中国书店

图书在版编目（CIP）数据

群书治要 /（唐）魏徵等编撰；宿磊译注 .—北京：中国书店，2023.10
（中华国学经典百部：精华本）
ISBN 978-7-5149-2963-8

Ⅰ．①群… Ⅱ．①魏… ②宿… Ⅲ．①政书—中国—唐代②《群书治要》译文 Ⅳ．① D691.5

中国版本图书馆 CIP 数据核字（2022）第 075416 号

群书治要
〔唐〕魏徵等 编撰 宿磊 译注
责任编辑：李宏书

出版发行：中国书店
地 址：北京市西城区琉璃厂东街 115 号
邮 编：100050
电 话：（010）63171753（总编室）
（010）63017857（发行部）
印 刷：三河市嘉科万达彩色印刷有限公司
开 本：787mm × 1092mm 1/32
版 次：2023 年 10 月第 1 版第 1 次印刷
字 数：168 千
印 张：6（全 300）
书 号：ISBN 978-7-5149-2963-8
定 价：1490.00 元（全 50 册）

前 言

《群书治要》是我国古代治政书籍的选辑，集思想之万象，汇浩瀚之精华，有如典籍总览，可谓意义重大而深远。它是唐初文臣魏徵、褚亮、虞世南、萧德言等受皇帝唐太宗之诏令，以辑录前人著述作谏书，为唐太宗“偃武修文”“治国安邦”，创建“贞观之治”提供警示的匡正巨著。

《新唐书·萧德言传》载：“太宗欲知前世得失，诏魏徵、虞世南、褚亮及德言裒次经史百氏帝王所以兴衰者上之，帝爱其书博而要，曰：‘使我稽古临事不惑者，公等力也！’赉赐优渥。”就此成书后，据说，太宗大加赞赏，常常手不释卷，日夜捧读，欢喜无量，深感此书对“贞观盛世”实有大裨益！《群书治要》亡于唐末兵戎，幸而有流落处可寻。日本天皇、臣子视之为圭臬，做出抄录、保存等努力，并加以宣讲。此书至清末时重回本土，余后陆续传世至今。

《群书治要》取材于六经、四史、诸子百家，“上始五帝，下迄晋年”，以“务乎政术，存乎劝诫”为宗旨，本于唐太宗所言“博而要”的原则，从一万四千多部、八万九千多卷古籍中节录而成，呕心沥血数年，于贞观五年（631）编辑成书，计近七十部约五十余万言，可说字字珠玑，读来内涵深邃，受益良多。

鉴于此著篇幅仍巨，今特择取其中重中之重的书目，选篇、选段、选句加以译注，以“剥洋葱”式的方法，为读者呈现其内在精粹，领略古圣修齐治平的嘉言懿行，饱览先贤前言往行之菁华。注释力求“信、达、雅”，译文力求通俗而不赘言。同时，为不失全面，对于未予选译加注的书目，另以附录形式，逐一进行简要介绍。

老话说，古镜今鉴。望举此微薄之力，扬国学之风，尽匹夫之责。

目录

周易治要

【题解】

《周易》是中国古代一部经典著作，被称为“群经之首”，相传为周文王姬昌所作，内容包括《经》《传》两部分。《经》主要是六十四卦和三百八十四爻，卦和爻各有说明（卦辞、爻辞），以作为占卜。《传》是对爻辞的解释和延伸，相传为孔子所撰。《周易》被誉为“大道之源”，对中国几千年来的政治、经济、文化等影响极其深远。

乾卦

【原文】

乾①：元、亨、利、贞②。

【注释】

①乾：本卦标题。乾用来代表天。

②元、亨、利、贞：元亨、利贞是两个表示吉祥的贞兆辞，表明是两个吉占。元亨的意思约等于大吉，利贞的意思是吉利的贞卜。元，元始。亨，恒通。利，和谐。贞，贞正。

【译文】

乾卦象征天：具有元始、亨通、和谐、贞正的德性。

【原文】

象①曰：天行健，君子以自强不息。

【注释】

①象：象分为卦象和爻象，指一个卦或者一个卦的某个爻的象。

【译文】

《象传》说：天的运动刚劲强健，君子处世（应像天一样），自我力求进步，永不停息。

【原文】

九三①：君子②终日乾乾③，夕惕若厉④，无咎⑤。

【注释】

①九三是本卦第三爻名称，“九”代表阳“⚊”，“六”代表阴“⚋”。一个卦画由六爻组成，从下向上排列，依次用初、二、三、四、五、上表示，如“六三”“上六”“九二”“上九”等。它们都是表示爻的阴阳和排列顺序的名称。

②君子：指有才德的贵族。

③乾乾：勤勉努力。

④夕惕若厉：夜晚时也应当警醒，像有危险一样。夕，夜晚。惕，警醒。厉，危险。

⑤咎：过失，灾难。

【译文】

乾卦的第三阳爻：有才德的君子整天勤勉努力，在晚上也像有危险一样警醒自己，以保证平安无事。

【原文】

上九：亢①龙有悔②。

【注释】

①亢：喻指过而不能。

②有悔：不吉利的占筮。

【译文】

上九：龙星上升到极高的地方，是不吉利的征兆。

【原文】

保合大和①，乃利贞。首出庶物②，万国咸宁。

【注释】

①大和：亦称太和，均衡和谐的状态。

②庶物：众物、万物。

【译文】

保持住天地冲和之气，就有利于正道。天地生出万物，各国都安宁祥和。

【原文】

文言[1]曰：元者，善之长也。亨者，嘉之会也。利者，义之和也。贞者，事之干也。君子体仁足以长人，嘉会足以合礼，利物足以和义，贞固足以干事。君子行此四德者，故曰“乾：元、亨、利、贞”。

【注释】

①文言：又称为《文言传》，是乾卦和坤卦独有的部分。《文言》从理论上对乾坤卦爻辞进行解释和发挥，从而引出了伦理学的概念和范畴。

【译文】

《文言》说：“元”是善之首，“亨”是各种美的集合，“利”是诸多义的应和，“贞”是做事取得成功的主干。君子体会到仁义的含义就足够号令大众，聚集起各种美德就足够符合礼义规范，对人与物有利就能够与义相应和，坚守正道就足够成就事业根基。君子身体力行地彰显这四种美德，所以说“乾卦：元、亨、利、贞”。

【原文】

子曰：“君子进德修业。忠信，所以进德也；修辞立其诚，所以居业[1]也。是故居上位而不骄，在下位而不忧。”

【注释】

①居业：保有功业。

【译文】

孔子说：“君子该培育品德、治理事业。讲求忠信才能提高品德修养；修饰言辞，确立诚实的品德，才成治理事业。因此，居于上位而不骄傲，处在卑微的位置不感到忧愁。”

【原文】

子曰：“同声相应，同气相求。水流湿，火就燥，云从龙，风从虎，圣人作而万物睹。”

【译文】

孔子说：“如果声息相同就彼此应和，如果气味相投就彼此求助。就像水注定要向湿润的低处流动，火苗要向干燥的地方延伸一样。云跟随着龙，风追随着虎。于是，圣人在这个过程中形成，受到世间万人景仰。”

【原文】

夫大人①者，与天地合其德，与日月合其明，与四时合其序，与鬼神合其吉凶，先天而天弗违，后天而奉天时。天且弗违，而况于人乎？况于鬼神乎？

【注释】

①大人：圣人。

【译文】

（九五）爻辞所说的“大人”，其德与天地之德相合，其明察与日月的光明相合，其恩威与四时的顺序相合，其赏罚与鬼神福祸相合。虽然他的行动先于天道，但不会遭到上天的背弃；虽然他的行动落后于天道，但是在以天时的规律行事。上天尚且不会背弃他，更何况是人呢？更何况是鬼神呢？

坤卦

【原文】

象曰：地势坤，君子以厚德载物。

【译文】

《象传》说：地势是顺（着天的），君子以大地为效仿对象，用宽厚的德性接纳天下万物。

【原文】

文言曰：坤至柔①而动②也刚，至静而德方③。含万物而化④光。坤道其顺乎？承天而时行。

【注释】

①柔：和，顺。

②动：运动。

③方：方正，规矩。

④化：生长，化育。

【译文】

《文言传》说：地道虽然非常柔顺，运动起来也极为刚健，它显得极静但品德方正。地道包容万物而化生广大。地道是多么柔顺啊，总是顺承天道并依照四时变化运行。

【原文】

积善之家，必有余庆；积不善之家，必有余殃。

【译文】

修善积德的家庭，必然会有更多的吉庆；作恶败德的家庭，必然会有更多的灾祸。

【原文】

君子敬以直内[①]，义以方外，敬义立而德不孤。

【注释】

①内：内心。

【译文】

君子恭敬谨慎地矫正思想上的偏差，保持内心的正直和真诚。树立起恭敬、道义的精神，品德的影响就会变得更加广泛。

蒙卦

【原文】

象曰：山下出泉，蒙[①]。君子以果行育德。

【注释】

①蒙：蒙稚，即幼稚无知。

【译文】

《象传》说：山下出现泉水，是蒙稚渐起。君子必须下定决心，果断行事，才能培养出良好的品德。

【原文】

蒙以养正，圣功也。

【译文】

启蒙，以保持它天真纯粹的品性，这是圣人的功业。

师卦

【原文】

象曰：地中有水，师。君子以容民畜众。

【译文】

《象传》说：地中有水，是师卦。君子要懂得爱护百姓，积蓄民力。

履卦

【原文】

象曰：上天下泽，履。君子以辨上下，定民志。

【译文】

《象传》说：上天下泽，是履卦。君子要明辨上下尊卑的位分，确定人民的志向。

泰卦

【原文】

象曰：天地交而万物通也，上下交而其志同也。内君子而外小人，君子道长，小人道消也。

【译文】

《象传》说：阴气与阳气相互交感，万物蓬勃生长；君主与臣民的沟通，是在向同一个目标努力。君子掌握着朝纲，小人就在朝堂之外，君子影响扩大，小人影响就会衰减。

否卦

【原文】

象曰：天地不交，否。君子以俭德避难，不可荣以禄。

【译文】

《象传》说：天高地低，彼此间无法交流互通，因而闭塞不通。这是否卦的卦象。君子们必须收敛才华，避开危险的境地，不可以仕禄为荣。

【原文】

象曰：天地不交而万物不通，上下不交而天下无邦也。内阴而外阳，内柔而外刚，内小人而外君子。小人道长，君子道消也。

【译文】

《象传》说：阴气与阳气不能交感，导致万物不能生长。君主不能与臣民交流意见，致使天下混乱，邦国危亡。阴在内而阳在外，柔在内而刚在外，对应小人在内而君子在外的情况，随着小人影响力的扩大，君子的影响力势必衰微了。

同人卦

【原文】

象曰：天与火，同人。君子以类族辩物。

【译文】

《象传》说：天与火，构成了同人卦的卦象。君子应将天下万物加以分类和辨别。

【原文】

象曰：文明以健，中正而应，君子正也。唯君子为能通天下之志。

【译文】

《象传》说：（同人卦中，离下为文明，乾上为刚健，）文明而又刚健，中正而无偏颇，这是君子所行的正道。只有君子的心志能够和天下人相通。

大有卦

【原文】

象曰：火在天上，大有。君子以遏恶扬善，顺天休①命。

【注释】

①休：休美，美好。

【译文】

《象传》说：（大有卦乾下离上，）火在天上，（普照万物，）所以称大有。君子应当遏制恶行、弘扬善行，顺应上天的德行，休美世间万物。

谦卦

【原文】

象曰：地中有山，谦。君子以裒多益寡，称物平施。

【译文】

《象传》说：高山隐藏在地中，象征有才德隐藏于心中而不外露，所以称作谦。君子总是损多益少，衡量各种事物，使其平均。

【原文】

天道亏盈而益谦，地道变盈而流谦；鬼神害盈而福谦，人道恶盈而好谦。谦，尊而光，卑而不可逾，君子之终也。

【译文】

天道损害盈余者而补偿亏损者，地道将高处倾陷而将多余的流到更低处。鬼神损害盈余者而施加福气于谦逊者，人道讨厌盈满而爱好谦逊。谦虚，处于尊位则宽广涵容，处于卑位则不可超越，这就是君子的结局。

豫卦

【原文】

天地以顺动，故日月不过而四时不忒[①]。圣人以顺动，则刑罚清而民服。

【注释】

①忒：误差，差错。

【译文】

天地按照自然规律而动，所以日月的运行与四时的循环都没有误差。圣人顺遂民情而动，就会刑罚清明，百姓顺从。

随卦

【原文】

象曰：泽中有雷，随。君子以向晦入宴息。彖曰：随时之义大矣哉。

【译文】

《象传》说：大泽中响着雷声，泽随雷声而动，这是随卦。君子应该顺应天时，早出晚归，按时休息。《彖传》说：顺应天时的意义太大了。

观卦

【原文】

象曰：风行地上，观。先王以省方，观民设教[1]。

【注释】

①观民设教：示民以教，使百姓能够瞻仰并受到教化。

【译文】

《象传》说：观卦的卦象是坤（地）下巽（风）上，是风吹拂于地上万物之象。先王仿效这种精神，巡视四方，考察民风民俗，以设立政教。

【原文】

彖曰：顺而巽，中正以观天下。观天之神道，而四时不忒。圣人以神道设教，而天下服。

【译文】

《彖传》说：具备温顺谦逊的美德，居中得正，考察天下民风。体察天道的运行，观察四季运转没有出现过偏差，就能懂得其中存在着大自然神妙的作用。盛德的人用神圣的道法来教化人民，自然得到天下臣民的信服。

噬嗑卦

【原文】

象曰：雷电，噬嗑。先王以明罚整法。

【译文】

《象传》说：雷电聚集在一起，是噬嗑卦（就像是牙齿咬合在一起一样）。（雷能释放威慑力，电能释放出光明，）先王（从中得到启示而）明确刑罚，整顿法令。

贲卦

【原文】

象曰：山下有火，贲。君子以明庶政，无敢折狱。

【译文】

《象传》说：山下有火，是贲卦。君子在审理案件时要及时，不留狱，同时又要谨慎行事，不可草率。

【原文】

象曰：观乎天文，以察时变；观乎人文，以化成天下。

【译文】

《象传》说：观察天文可以知道四时的变化，观察人文可以感化天下人。

大畜卦

【原文】

象曰：天在山中，大畜。君子以多识前言往行，以畜其德。

【译文】

《象传》说：（下乾上艮，）天在山中，是大畜卦。君子应该多认识学习前贤的言语学问，借以修养自己的道德。

颐卦

【原文】

象曰：山下有雷，颐。君子以慎言语，节饮食。

【译文】

《象传》说：（下震上艮，）山下有雷，是颐卦。君子从中领悟到要出言谨慎、节制饮食的道理。

习坎卦

【原文】

象曰：水洊[1]至，习坎。君子以常德行，习教事。

【注释】

①洊（jiàn）：一次又一次。

【译文】

《象传》说：水流一次次涌来，是习坎卦。君子应该修养德行，熟习教育。

咸卦

【原文】

象曰：山上有泽，咸。君子以虚受人。

【译文】

《象传》说：（艮为山，兑为泽，）山上有泽，是咸卦。君子应该以虚怀若谷的精神接纳、感化他人。

【原文】

象曰：天地感而万物化生，圣人感人心而天下和平。

【译文】

《象传》说：天地间的阴阳之气相互感应，就能繁育万物得以生长。圣人用他的德行就能感化人心，让天下得以和谐安定。

恒卦

【原文】

象曰：雷风，恒。君子以立不易方。

【译文】

《象传》说：雷动风行，（相辅相成，）是恒卦。君子有所树立，而卓然不移。

【原文】

象曰：天地之道，恒久而不已也。日月得天而能久照，四时变化而能久成，圣人久于其道而天下化成。

【译文】

《象传》说：天地运行的规律，都是恒久不变的。日月能够在天上永恒地照临万物，四季能够经久不衰地循环往复，圣人能够持守正道，用教化来成就天下人。

遁卦

【原文】

象曰：天下有山，遁。君子以远小人，不恶而严。

【译文】

《象传》说：（下艮上乾，艮为山，乾为天，）山上有天，是遁卦。君子应该远离小人，不要让他知道你憎恶他，同时又要严厉地对待他。

大壮卦

【原文】

象曰：雷在天上，大壮。君子以非礼弗履。

【译文】

《象传》说：雷在天上，是大壮卦。君子做事从不悖于礼制。

明夷卦

【原文】

象曰：明入地中，明夷。君子以莅众。用晦而明。

【译文】

《象传》说：明入地中，是明夷卦。君子治理国家，应该表面隐晦而内心明察。

睽卦

【原文】

象曰：上火下泽，睽。君子以同而异。

【译文】

《象传》说：上火下泽，是睽卦。君子做事情应该在求同的时候，保持自己的个性。

蹇卦

【原文】

象曰：山上有水，蹇[1]。君子以反身修德。

【注释】

①蹇（jiǎn）：行路艰难。

【译文】

《象传》说：（下艮上坎，艮为山，坎为水，）山上有水，是蹇卦。君子应该反求诸己，提高自身修养。

解卦

【原文】

象曰：雷雨作，解。君子以赦过宥罪。

【译文】

《象传》说：春雷阵阵，是解卦。君子应宽恕别人的过错。

损卦

【原文】

象曰：山下有泽，损。君子以惩忿窒欲。

【译文】

《象传》说：（下兑上艮，兑为泽，艮为山，）山下有泽，是损卦。君子应该抑制愤愤不平之气，控制自己的欲望。

升卦

【原文】

象曰：地中生木，升。君子以慎德，积小以成高大。

【译文】

《象传》说：（下巽上坤，木下地上，）地中生木，是升卦。君子应该顺应自然规律，德行和事业都要慢慢积小成大。

革卦

【原文】

象曰：革，水火相息。天地革而四时成，汤、武革命，顺乎天而应乎人。革之时大矣哉。

【译文】

《象传》说：革卦，（下离上兑，离为火，兑为泽，）水火不容。天地因变革形成四季，成汤和武王的革命，顺乎天理又合乎民心。这样看来，掌握好变革发生的时间很重要啊！

震卦

【原文】

象曰：洊雷，震。君子以恐惧修省。

【译文】

《象传》说：雷声一声接着一声，是震卦。君子应该心存恐惧敬畏，不断自省，提高自己的修养。

丰卦

【原文】

象曰：日中则昃[1]，月盈则食，天地盈虚，与时消息。而况于人乎？况于鬼神乎？

【注释】

①昃（zè）：太阳偏西。

【译文】

《象传》说：太阳正中过后便会偏西，月盈之后就会有亏蚀，天地盈亏，都会跟随着时间消长，更何况人呢？更何况祭祀鬼神呢？

兑卦

【原文】

象曰：丽泽，兑。君子以朋友讲习。

【译文】

《象传》说：两泽相连，是兑卦。君子可以在朋友之间讲习学问，彼此切磋。

节卦

【原文】

象曰：泽上有水，节。君子以制度数，议德行。

【译文】

《象传》说：泽上有水，是节卦。君子应该制定各种法律礼仪制度，议定评判道德的准则。

【原文】

象曰：苦节不可贞，其道穷。

【译文】

《象传》说：过分节俭不可以为贞正，因为它难以持久，必然会变。

既济卦

【原文】

象曰：水在火上，既济。君子以思患而豫防之。

【译文】

《象传》说：水在火上，是既济卦。君子应该考虑到隐患而事先预防。

系辞上

【原文】

天尊①地卑②，乾坤定矣。卑高以③陈④，贵贱位⑤矣。动静有常⑥，刚柔断⑦矣。方⑧以类聚，物⑨以群分，吉凶生矣。在天成象，在地成形，变化见矣。

【注释】

①尊：高。

②卑：下。

③以：与“已”同。

④陈：陈列。

⑤位：立。

⑥常：指规律。

⑦断：分，言判然分明。

⑧方：品类。

⑨物：指具体的事物。

【译文】

天尊贵而在上，地卑微而在下，从而确定乾坤。天下万事万物都是由卑贱到高大进行铺陈，（《周易》中六爻）贵贱的位置也就以此排定了位置。万事万物的运动与静止都有一定的规律，阳刚阴柔、阳极生阴、阴极生阳的道理也就确定了。天下人都以类聚集，物各以类相分，（与君子处吉祥，与小人行凶险）吉祥与凶险也就产生了。在天上呈现出日月星辰昼夜晦明的现象，在地上就显现出山川河岳动植草木的形态，如此错综复杂的变化就出现了。

【原文】

乾以易知，坤以简能。易则易知，简则易从。易知则有亲，易从则有功。有亲则可久，有功则可大。可久则贤人之德，可大则贤人之业。易简而天下之理得矣。

【译文】

乾以平易来知，坤以简单去做。平易就容易了解，简易则方便遵从。容易了解的就能得到他人的亲近，容易遵从的就可以用来建功立业。得到了人们的理解和亲近就可以长久，能够建功立业就会更加阔大。能够长久是贤人所应具备的品德，能够阔大是贤人应该建立的功业。秉承易简的美德，则能懂得天下的所有道理了。

【原文】

仁者见之谓之仁，智者见之谓之智，百姓日用而不知，故君子之道鲜矣。

【译文】

仁者看到道就叫它“仁”，智者看到道就叫它“智”，百姓每天都在运用却不知道它的存在，所以真正懂得君子之道的人很少了。

【原文】

显诸仁，藏诸用。盛德大业至矣哉！富有之谓大业。日新之谓盛德。生生之谓易。阴阳不测之谓神。

【译文】

（《周易》所体现的道）显现出来就表现为仁德，又隐藏在一切日常事物中。天地之盛德大业已经达到了极致。富有就叫作“大业”。每天都有新的生长变化就是大德，使万物生生不息就是易，阴阳的变化无法被预测叫作神。

【原文】

子曰：“君子居其室，出其言善，则千里之外应之，况其迩者乎？居其室，出其言不善，则千里之外违之，况其迩者乎？言出乎身，加乎民；行发乎迩，见乎远。言行，君子之枢机。枢机之发，荣辱之主也。言行，君子之所以动天地，可不慎乎！”

【译文】

孔子说：“君子在自己家的庭院中，说出的话如果是美好的，那么远在千里之外的人都能得到回应，何况是在附近的呢？在自家庭院中，说出的话如果不是美好的，那么远在千里之外的人也会背弃它，何况是在附近的呢？他自己发出言论，影响到百姓；行为在近处发生，却在远处显现。言论和行动，对君子来说好像门户的转轴或弓箭上的机关。门轴和机关的发动，关系到最终的荣辱。言论和行为，是君子能够影响天地的因素，怎么能不谨慎呢！”

【原文】

小人而乘君子之器，盗思夺之矣；上慢下暴，盗思伐之矣。慢藏诲盗，冶容诲淫。

【译文】

普通的百姓乘坐君子的车辆，因此盗贼才想到要掠夺；上位之人轻慢，下位之人暴虐，因此盗贼才会想到要侵犯他。藏敛财物上轻慢就会引发别人来偷盗，打扮得太妖冶就会引发人的淫乱之心。

【原文】

子曰：“《易》有圣人之道四焉：以言者尚其辞，以动者尚其变，以制器者尚其象，以卜筮者尚其占。”

【译文】

孔子说："《周易》有四种圣人之道：用语言的注重言辞，有行动时崇尚变化，用来制作器具的看重卜象，卜筮的人重视占卜。"

【原文】

《易》无思也，无为也，寂然不动，感而遂通天地之故。非天下之至神，其孰能与于此？

【译文】

《周易》中的道理不是思考得来，也非人为创造，它寂静默然而无为，感悟后就可以通晓天下万事的运转之理。如果不是天下最神奇的道理，怎么能达到这种程度呢？

系辞下

【原文】

天地之大德曰生，圣人之大宝曰位。何以守位？曰仁。何以聚人？曰财。理财正辞，禁民为非，曰义。

【译文】

天地最大的德行在于生育万物，圣人最珍贵的东西在于崇高的地位。怎么才能守住地位呢？要仁爱。怎么才能聚拢百姓呢？要有财物。打理财物，端正言辞，禁止人民做非法的事，就是义。

【原文】

子曰："君子安其身而后动，易其心而后语，定其交而后求。君子修此三者，故全也。危以动，则民不与也；惧以语，则民不应也。无交而求，则民不与。莫之与，则伤之者至矣。"

【译文】

孔子说："君子安定自己之后，再去行动，改易内心之后再去说话，交情订立之后再有所求。君子修养这三项内容，才能保全自身。冒险的行动，人民就不会跟从；惶恐时发表的言论，民众就不会响应。没有交情就去求人，那么别人就不会给予帮助。没人给予帮助，那么伤害他的人就会到来。”

【原文】

将叛者其辞惭，中心疑者其辞枝，吉人之辞寡，躁人之辞多，诬善之人其辞游，失其守者其辞屈。

【译文】

将要叛变的人，说话时的神色会显得惭愧不安；心中有疑虑的人，说话就会多有枝蔓，不清楚；善良吉祥的人，言辞就会很凝练；浮躁峻急的人，喜欢多说话；陷害善良的人，说辞便会浮游不定；玩忽职守的人，他的言辞多曲折而不伸。

说卦传

【原文】

昔者圣人之作《易》也，将以顺性命之理也。是以立天之道曰阴与阳，立地之道曰柔与刚，立人之道曰仁与义。

【译文】

先贤圣人作《周易》的时候，就是要顺应宇宙万物的运行本性。因此用阴与阳来阐释天道，用柔与刚来阐释地道，用仁与义来阐释人道。

尚书治要

【题解】

《尚书》又称《书》《书经》，是一部多体裁的文献汇编。战国时期总称为《书》，汉代改称《尚书》，即“上古之书”。因是儒家五经之一，又称《书经》。它长期被认为是中国现存最早的史书。该书分为《虞书》《夏书》《商书》《周书》，内容主要是君王任命官员或赏赐诸侯时发布的政令。

【原文】

临下以简，御众以宽。罚弗[①]及嗣，赏延于世[②]。宥过[③]无大，刑故[④]无小。罪疑惟轻，功疑惟重。与其杀弗辜，宁失不经[⑤]。

【注释】

①弗：不。

②世：后世。

③宥过：宥，宽宥。过，偶然的过失。

④刑故：刑，刑罚，用作动词，表示处罚。故，明知故犯。

⑤不经：不按既定规矩办。

【译文】

对待臣下简明扼要，治理百姓宽容大度。刑罚不涉及子女，奖赏延及后代人。对偶然的过失，无论多大都会宽宥；对明知故犯的罪行，即使再小也会处以刑罚。对罪行有疑问就宁愿从轻发落，对功劳的赏赐有疑问就宁可从重奖赏。比起去杀害无辜，宁可犯治理不力的错误。

【原文】

人心惟危[①]，道心惟微[②]；惟精[③]惟一[④]，允执厥中[⑤]。

【注释】

①危：危险难安。

②微：微妙。

③精：精心。

④一：专一。

⑤厥中：厥，其。中，中正。

【译文】

人心危险难安，道心却微妙难明。只有精心体察，专一持守，才能坚持走一条不偏不倚的中正之路。

【原文】

知人则哲，能官人[①]；安民则惠[②]，黎民怀之。能哲而惠，何忧乎[3]驩兜[4]？何迁乎有苗？何畏乎巧言令色[5]孔壬[6]？

【注释】

①官人：任命贤人。官，使动用法，使之当官，即任命。

②惠：受人爱戴。

③乎：于。

④驩（huān）兜：又作欢兜或驩头，中国古代传说中的三苗族首领。

⑤令色：虚伪讨好。

⑥孔壬：亦作“孔任”。尧时大奸佞，曾任共工之官。

【译文】

懂得识人之道的人贤明，能够知人善任。能够爱定民心的人受人爱戴，百姓就会感念他。既贤明又受百姓爱戴，又怎么会担心驩兜？又何必放逐三苗？怎么会害怕巧言献媚的大奸佞之人呢？

【原文】

无旷[1]庶官[2]，天工，人其代之。政事懋[3]哉。

【注释】

①旷：空，这里指虚设。

②庶官：百官。

③懋（mào）：勤奋努力。

【译文】

不要虚设百官，上天赋予人们的工作，人应当代它完成。政事要勤奋啊！

【原文】

民惟邦本，本固邦宁。

【译文】

百姓是国家的根本，根本牢固，国家才能安宁。

【原文】

训有之：内作色荒[1]，外作禽[2]荒。甘酒嗜音，峻宇雕墙。有一于此，未或[3]弗亡。

【注释】

①色荒：女色之荒。荒，沉湎。

②禽：飞禽，引申为畋猎。

③未或：没有。

【译文】

先王在《训诫》中曾经提到：在内沉湎于女色，在外沉湎于游猎玩乐。嗜好美酒，耽于音乐，楼宇高耸，雕梁画栋，只要有此一项，就没有不亡国的。

【原文】

慎厥终，惟其始。殖[①]有礼，覆昏暴。钦[②]崇天道，永保天命。

【注释】

①殖：通“植”，树立。

②钦：恭敬。

【译文】

想要慎重地结束一件事情，就要像刚开始做时那样小心谨慎。树立宣扬合乎礼节的事情，就不要去宣传昏乱残暴的行为。敬重尊崇天道，就可以永久保持上天所赋予的使命了。

【原文】

奉先[①]思孝，接下思恭。视远惟明，听德[②]惟聪。

【注释】

①奉先：侍奉先人。

②听德：听从有德之言。

【译文】

侍奉先人，要懂得孝顺；接待臣民，要表现得谦恭。看得长远才叫作眼明，广纳有德的言论才叫作耳聪。

【原文】

若升高[①]，必自下；若陟[②]遐[③]，必自迩[④]。无轻民事，惟[⑤]难；无安厥位，惟危。

【注释】

①升高：登高。

②陟（zhì）：行走。

③遐：远。

④迩：近处。

⑤惟：想到。

【译文】

想要登高，就要从下面开始；想要远行，就要从近处开始。不要轻视百姓的劳动，要想到它的艰难之处；不要君主之位上苟安，要想到它的危险之处。

【原文】

惟治乱在庶官。官弗及[①]私昵[②]，惟其能[③]。爵弗及恶德[④]，惟其贤。虑善[⑤]以动，动惟厥时。

【注释】

①及：到，引申为授予。

②私昵：亲近的人。

③能：贤能。

④恶德：不良的品德。

⑤善：善政。

【译文】

一个国家是安定还是动乱，关键在于任用百官。官职不可以授予亲近的人，应该授给有才能的人。爵位不可赏赐给坏人，应该赏赐给贤人。凡事都要考虑是否是善政再去实施，实施之前还要谨慎地选好时机。

【原文】

非知之艰，行之惟[①]艰。

【注释】

①惟：而，表转折。

【译文】

知道这些并不难，做到才不容易。

【原文】

我闻吉人[①]为善，惟日弗足[②]；凶人[③]为不善，亦惟日弗足。

【注释】

①吉人：好人。

②弗足：不够。

③凶人：坏人。

【译文】

我听说好人做善事，整日去做还是不满足；恶人做坏事，也是整日去做也不满足。

【原文】

明王慎德，四夷咸宾[①]。无有远近，毕[②]献方物，惟服食器用。

【注释】

①宾：归顺。

②毕：都。

【译文】

圣明的君王谨言慎行，所以四方民族都前来归顺。不论远近，都会献上自己的物产，但这些只是可供食与用的物品。

【原文】

德盛弗狎侮[①]。狎侮君子[②]，罔[③]以尽人心；狎侮小人[④]，罔以尽其力。玩[⑤]人丧德，玩物丧志。弗作无益害有益，功乃成；弗贵异物[⑥]贱[⑦]用物[⑧]，民乃足[⑨]。

【注释】

①狎侮：侮辱，轻慢。

②君子：这里指官员。

③罔：没有。

④小人：普通百姓。

⑤玩：戏弄。

⑥异物：珍奇物品。

⑦贱：轻视。

⑧用物：日常应用之物。

⑨足：充足，富足。

【译文】

有盛德的人不会轻易侮辱他人。轻易侮辱官员，他人就不会尽心地去辅佐；轻易侮辱百姓，就不可以使人尽力地去服从。戏弄人就会丧失品德，玩弄器物就会丧失志气。不用无益的事来妨害有益的事，事业就能有所成就；不看重珍奇物品也不轻贱日用之物，百姓就会富足。

【原文】

弗务细行[①]，终累[②]大德。为山九仞[③]，功亏一篑[④]。

【注释】

①细行：小节。

②累：连累。

③仞：古代计量单位，周尺八尺或七尺。周尺一尺约合二十三厘米。

④篑（kuì）：古代盛土的筐。

【译文】

不注重小节，就会损害大的德行，堆起九仞高的山，只缺一筐土就不能完成。

【原文】

皇天无亲[①]，惟德是辅；民心无常[②]，惟惠之怀。为善弗同，同归[③]于治[④]；为恶弗同，同归于乱。尔其[⑤]戒哉！

【注释】

①亲：亲近，偏向。

②无常：变化不定。

③归：归宿。

④治：安定。

⑤其：副词，表示命令、劝勉。

【译文】

上天公正没有偏私，总是辅助那些品德高尚的人；民心变化不定，总是归顺于仁慈宽厚的人。做善事的都不相同，却都归于安定；做恶事的都不相同，却都归于动乱。你要引以为戒啊！

【原文】

制治于未乱，保邦于未危。

【译文】

要在未发生动乱的时候，制定平治的方法；在没有出现危机的时候，保护国家的安定。

【原文】

功崇①惟志，业广②惟勤。

【注释】

①崇：崇高。

②广：广大。

【译文】

功业崇高是因为有志向，事业广大是因为勤劳。

【原文】

作德，心逸日休①；作伪，心劳日拙②。

【注释】

①休：美好，吉庆。

②拙：困窘。

【译文】

做善事，就会心情平和，而且会一天天变得更加美好；行欺诈之事，就会劳心劳力，一天天变得笨拙。

【原文】

居宠思危，罔弗惟畏，弗畏入畏①。

【注释】

①弗畏入畏：不知敬畏，就会令人畏惧。弗，不。第一个“畏”意为敬畏，

第二个“畏”意为可怕。入，进入。

【译文】

处于尊宠地位的时候要想到危机，（对身边的一切人或事）无不心存敬畏。不知敬畏，就会进入可畏的境地。

【原文】

我闻曰：“至治①馨香②，感于神明；黍稷非馨，明德③惟馨。”

【注释】

①至治：十分安定。至，极端。

②馨香：香气。

③明德：美德。

【译文】

我听说：“盛世安定的芳香，感动上天的神明；五谷美味并不是最具芳香的，美德才能真正发出芳香之气。”

【原文】

尔惟①风，下民惟草。无依势作威，无倚法以削②。宽而有制③，从容以和。

【注释】

①惟：同“为”。

②削：损害。

③制：法制。

【译文】

你是风，百姓就是草。不要倚仗权势作威作福，不要倚仗法律侵害百姓。要宽大有法制，从容又和谐。

【原文】

尔无忿疾①于顽②。无求备③于一人。

【注释】

①忿疾：愤恨讨厌。

②顽：愚钝的人。

③求备：求全责备。

【译文】

你不要愤恨那些愚顽的人，不要对任何人都求全责备。

【原文】

惟敬五刑①，以成三德②。一人有庆③，兆民赖④之。

【注释】

①五刑：我国古代的五种刑罚，通常指墨、劓、剕（刖）、宫、大辟，也指笞、杖、徒、流、死。

②三德：三种品德。《尚书·洪范》："三德，一曰正直，二曰刚克，三曰柔克。"

③庆：可庆贺的事。

④赖：受益。

【译文】

要谨慎使用五种刑罚，养成三种美德。天子一人有了可庆贺的事，万民都会受益。

【原文】

非佞①折狱②，惟良折狱，罔非在中。哀③敬④折狱，咸庶⑤中正。

【注释】

①佞：巧言谄媚。

②折狱：判决诉讼案件。

③哀：哀怜。

④敬：谨慎。

⑤庶：将近。

【译文】

不让巧言善辩的人判决案件，而是贤明善良的人才适合审理案件，不过是要存公正之心。应当怀着哀怜谨慎的心态判决案件，就能基本以公正为准则了。

毛诗治要

【题解】

西汉时鲁人毛亨和赵人毛苌所辑注的古文《诗》，也就是现在流行的《诗经》。《诗经》是我国第一部诗歌总集，共三百零五篇，毛诗每一篇下面都有小序，用来介绍本篇意旨等。而首篇《关雎》下，除了有小序外，还有一篇总序，称为《诗大序》，是古代汉族诗论的第一篇专著。东汉经学家郑玄曾为《毛传》作“笺”，至唐代孔颖达作《毛诗正义》。

周南

【原文】

诗者，志之所之①也，在心为志，发言为诗。情动于衷②而形于言，言之不足，故嗟叹③之；嗟叹之不足，故咏歌之；咏歌之不足，不知④手之舞之、足之蹈之也。

【注释】

①志之所之：前一“之”为助词，的；后一“之”为动词，去。

②衷：内心。

③嗟叹：叹息。

④不知：不知不觉。

【译文】

诗寄托的是诗人的志向。在心里未发出来就是志，用语言表达出来就是诗。情感在心中被触动就会形成语言，语言不足以表达，就会吁嗟叹息；吁嗟叹息不足以表达，就会高声歌咏；高声歌咏不足以表达，就会情不自禁地手舞足蹈。

【原文】

情发于声，声成文谓之音。治世之音安以乐[①]，其政和；乱世之音怨以[②]怒，其政乖[③]；亡国之音哀以思，其民困。故正得失，动天地，感鬼神，莫近于诗。先王以是经[④]夫妇，成孝敬，厚人伦，美教化，移风易俗。

【注释】

①安以乐：安适喜乐。

②以：而且。

③乖：背离。

④经：调理。

【译文】

情志通过声音流露出来，声音形成一定的旋律，就是音乐。太平之世的音乐充满安和喜乐，说明当时的政治清明；动乱之世的音乐充满怨气与愤怒，说明当时政治不和谐；濒临灭亡之国的音乐充满悲哀和愁思，说明这个国家的百姓身处危难之境。所以端正得失，感动天地鬼神，要做到这些，没有什么能比得上诗。先王用诗来协调夫妻的关系，养成孝敬的风气，使人伦变得淳厚，使教化变得美善，从而达到移风易俗的目的。

【原文】

《诗》有六义[①]焉：一曰风，二曰赋，三曰比，四曰兴，五曰雅，六曰颂。

【注释】

①六义：指后文所述：风、雅、颂、赋、比、兴。前三者指《诗经》的内容，后三者指《诗经》的写作手法。

【译文】

《诗经》有六义：一是风，二是赋，三是比，四是兴，五是雅，六是颂。

【原文】

上[①]以风化下[②]，下以风刺[③]上，言之者无罪，闻之者足以自诫，故曰《风》[④]。以一国之事，系[⑤]一人之本，谓之《风》。言天下之事，形四方之风[⑥]，谓之《雅》。雅者，正也，言王政之所由废兴也。政有小大，故有《小雅》焉，有《大雅》焉。颂者，美盛德之形容[⑦]，以其成功[⑧]告于神明者也。是谓四始[⑨]，《诗》之至也。至于王道衰，礼义废，政教失，国异政，家殊俗，而《变风》《变雅》[⑩]作矣。

【注释】

①上：君主。

②下：臣下，百姓。

③刺：以尖锐的话指出别人的过失，有指责之意。

④《风》：讽喻。

⑤系：联结。

⑥形四方之风：表现天下的风气。

⑦形容：盛德的表现。

⑧成功：成就的功业。

⑨四始：《风》《大雅》《小雅》《颂》四类的合称。始，开端。

⑩《变风》《变雅》：皆为乱世之作，相对于正风、正雅的治世之作而言。

【译文】

君王用诗来教化臣民，臣民用诗来讽谏君王，用诗的言辞去劝谏的人不会获罪，听到的人也能引以为戒，所以称之为讽喻。把一国的政事与君王修身治国的根本联结起来，就是《风》这一类诗歌。谈论天下要事，表现天下风气，就是《雅》这一类诗歌。所谓雅，意思是端正，说的是君王之政兴衰的缘由。政事有大小，所以就有《大雅》《小雅》的分别。《颂》赞美和表现君王高尚的品德，将其成就的功业告诉天地间一切神灵。《风》《大雅》《小雅》《颂》，合称“四始”，是《诗经》的最高境界。到了王道衰落、礼义废弃、政教丧失、诸侯国各自为政、家风各有不同的时候，《变风》《变雅》等作品就随之产生了。

【原文】

关关[1]雎鸠[2]，在河之洲[3]。窈窕[4]淑女[5]，君子[6]好仇。

【注释】

①关关：象声词，鸟的啼叫声。

②雎鸠：一种水鸟，这种鸟雄雌情意专一，常比喻夫妻恩爱，忠贞守信。

③洲：水中的陆地。

④窈窕：娴静，美好。

⑤淑女：温慧淑良的女子。

⑥君子：品德优秀的男子。

【译文】

河中小岛，有双栖的雎鸠，关关相对而唱。温婉娴静的佳人，只有那德行优秀的君子，才能与之匹配。

鄘风

【原文】

《相鼠》，刺[1]无礼也。卫文公能正[2]其群臣，而刺在位承先君之化无礼仪也。

相[3]鼠有皮，人而无仪[4]。人而无仪，不死胡为[5]。相鼠有体[6]，人而无礼。人而无礼，胡不遄[7]死。

【注释】

①刺：指斥。

②正：端正。

③相：察看。

④仪：礼仪。

⑤胡为：能做什么呢？

⑥体：肢体。

⑦遄（chuán）：疾速。

【译文】

《相鼠》是斥责当时的社会丧失了礼仪。卫文公能够端正其群臣的作风，而责备那些身居高位，继承着先王教化，却不守礼仪之人。

看那老鼠只有一张皮，（不知廉耻）就好像人没有礼仪。人一旦丧失礼仪，不死还能做什么呢？看那老鼠空有躯壳，就像人没有礼仪。人若丧失礼仪，还不赶快去死？

卫风

【原文】

《淇澳》，美武公之德也。有文章[①]，又能听规谏，以礼自防[②]，故能入相于周，美而作是诗。

瞻彼淇澳[③]，绿竹猗猗[④]。有斐[⑤]君子，如切如瑳，如琢如磨[⑥]。

【注释】

①文章：文采。

②以礼自防：用道德礼节约束自己。

③澳：同“隩”，水边弯曲的地方。

④猗猗：美盛。

⑤斐：有文采。

⑥如切如瑳，如琢如磨：像雕琢美玉一样。切、瑳、琢、磨，为古代处理玉石、象牙等材料的不同工艺技术，此处指在学问、品德上精益求精。瑳，通“磋”。

【译文】

《淇澳》是称颂卫武公美好品德的诗。诗里说他文章有文采，又善于听取别人的劝谏之言，用道德礼仪约束自己，所以能够在周朝担任宰相，正是为了表示对他的赞颂而作了这首诗。

看那曲折迂回的淇水边，大片的绿竹蓊蓊郁郁。那文采斐然的君子啊，修身养德就像雕琢美玉，一直精益求精。

郑风

【原文】

《风雨》，思君子也。乱世则思君子不改其度[①]焉。

风雨凄凄[②]，鸡鸣喈喈[③]。既[④]见君子，云胡不夷[⑤]。

【注释】

①度：法度。

②风雨凄凄：凄凉寒冷，风雨交加。

③喈喈：鸡叫的声音。

④既：终于。

⑤云胡不夷：云，语气助词。胡，怎么。夷，喜悦。

【译文】

《风雨》是思念君子的诗作。处于乱世的人们思念君子不改气节的可贵。

外面风雨大作，雄鸡报晓声喈喈响起。终于见到那德行高尚有节的君子，怎能不喜悦呢？

曹风

【原文】

《蜉蝣[①]》，刺奢也。昭公[②]国小而迫[③]，无法以自守，好奢而任小人，将无所依焉。

【注释】

①蜉蝣：一种朝生暮死、寿限极短的虫，这里象征小人。

②昭公：指曹昭公。

③迫：被逼迫。

【译文】

《蜉蝣》，是讽刺奢侈的诗作。曹昭公因国家弱小被大国欺侮，他又没有办法来守卫自己和国家，习性奢侈又任用小人，最终必将落得无所依傍的结局。

小雅

【原文】

《伐木》，燕[①]朋友故旧也。自天子以下至于庶人[②]，未有不须友以成者。亲亲以睦[③]，友贤不弃[④]，不遗[⑤]故旧，则民德归厚矣。

伐木丁丁[⑥]，鸟鸣嘤嘤[⑦]。出自幽谷，迁于乔木[⑧]。嘤其鸣矣，求其友声。相彼鸟矣，犹求友声。矧[⑨]伊人[⑩]矣，不求友生。

【注释】

①燕：同“宴”，宴请。

②庶人：平民百姓。

③亲亲以睦：亲近亲人，保持和睦。前一个“亲”为动词，亲和；后一个“亲”作名词，亲人。睦，和睦。

④弃：厌弃。

⑤遗：遗弃。

⑥丁丁（zhēng）：伐木声。

⑦嘤嘤：鸟的和鸣声。

⑧乔木：泛指高大的树木。

⑨矧：况且。

⑩伊人：此人，指意中所指之人。

【译文】

《伐木》，是宴请故旧之交的诗作。从天子到平民百姓，没有不用朋友的帮忙就能成就功业的。君王热爱亲人，保持和睦，友爱贤达的人，不轻易舍弃，不忘故旧之交，那么百姓的品德就会变得淳厚了。

伐木时斧声丁丁作响，就像群鸟悦耳的和鸣。小鸟从深谷飞出，迁徙到高大的树木之上。鸟儿依旧嘤嘤鸣叫，呼唤着幽谷中的旧友。看那小鸟也不忘故旧之交，何况是那位君子呢，怎么能不寻求故友呢？

春秋左氏传治要

【题解】

《春秋左氏传》简称《左氏春秋》，即《左传》，儒家十三经之一，是为《春秋》做注解的一部史书，也是我国第一部叙事详细的编年体史学著作。相传为春秋末期鲁国史官左丘明所作。它共分为三十五卷，与《春秋公羊传》《春秋穀梁传》合称“春秋三传”。本书叙事生动，兼具史学和文学价值。

隐公

【原文】

《诗》曰：“孝子不匮①，永锡②尔类。”

【注释】

①匮：匮乏，穷尽。

②锡：赏赐。

【译文】

《诗经》说：“孝子的孝是没有穷尽的时候的，永远都能感化你的同类。”

【原文】

臣闻爱子，教之以义方[①]，弗纳于邪。骄、奢、淫、佚[②]，所自邪[③]也。

【注释】

①义方：行事应该遵守的规范和道理。

②佚：放逸，放荡。

③邪：作动词，走上邪路、歪路。

【译文】

臣听闻，疼爱孩子就该教他做事应遵守的规矩，不要让他误入歧途。骄傲、奢侈、无节制、放荡是误入歧途的原因。

【原文】

君义，臣行，父慈，子孝，兄爱，弟敬，所谓六顺也。去顺效逆，所以速祸也。

【译文】

君仁，臣忠，父慈，子孝，兄友，弟恭，这是六顺之事。背离顺者而效法逆者，很快就会招致祸患。

【原文】

为[①]国家者，见恶，如农夫之务去草焉，芟夷[②]蕴崇[③]之，绝其本根，勿使能殖，则善者信[④]矣。

【注释】

①为：掌管，治理。

②芟（shān）夷：除草，刈除。

③蕴崇：积聚。蕴，古同“蕴”。

④信：古同“伸”。

【译文】

治国的人，看到恶行，就要像农夫务必除去杂草一样，除去它并将之堆积，断掉它的根本，让它不能再生长，那么善行就会得到伸展。

庄公

【原文】

《商书》所谓："恶之易[1]也，如火之燎于原，不可乡[2]迩，其犹可扑灭"者。

【注释】

①易：蔓延，传播。

②乡：通"向"。

【译文】

《商书》上说："恶行的传播，就如同大火燎原，不可以向它接近，这样难道还能扑灭吗？"

【原文】

君子曰："酒以成礼，不继以淫，义也。以君成礼，弗纳于淫，仁也。"

【译文】

君子说："酒是用来使礼仪完备的，不能继续饮用而使其过度，这就是义。和君主饮酒从而完备了礼仪，却不至于使他陷入过度饮酒的境地，这就是仁。"

僖公

【原文】

背施无亲，幸灾不仁，贪爱不祥，怒邻不义。四德皆失，何以守国？

【译文】

背弃别人给予的恩惠会失去亲近的人，庆幸别人的灾祸是不仁的行为，贪图爱惜自己的东西是不祥的做法，激怒友邻是不义的举动。四种道德都丧失了，还拿什么来守卫国家呢？

【原文】

耳不听五声[①]之和为聋，目不别五色[②]之章[③]为昧，心不则德义之经为顽，口不道忠信之言为嚚[④]。

【注释】

①五声：指古代音乐中宫、商、角、徵、羽五种音阶。

②五色：指青、赤、白、黑、黄五色，古代以此为正色。

③章：花纹。

④嚚（yín）：奸诈。

【译文】

耳朵不能听到五种音阶的唱和就是耳聋，眼睛不能辨别五种颜色的纹饰就是昏暗，心里不遵守道德礼义的准就是顽劣，嘴里不说忠实诚信的言语就是奸诈。

文公

【原文】

古之王者知命之不长，是以并建[①]圣哲，树之风声[②]，分之采物[③]，著之话言[④]，为之律度[⑤]，陈之艺极[⑥]，引之表仪，予之法制，告之训典[⑦]，教之防利[⑧]，委之常秩[⑨]，道之以礼则，使无失其土宜[⑩]，众隶[⑪]赖之而后即命[⑫]。圣王同之。

【注释】

①建：竖立，树起。

②风声：教化，好的风气。

③采物：有彩色纹饰的旌旗、衣物等。

④话言：美善的言词。

⑤律度：法度，与后文“表仪”同义。

⑥艺极：准则。

⑦训典：指先王典制之书。

⑧防利：防止过多地谋求私利。

⑨常秩：一定的职务。

⑩土宜：各地不同性质的土壤。

⑪众隶：百官。

⑫即命：死亡。

【译文】

古代的君王知道生命是不能长久的，因此选贤任能，树立教化风气，分给大家旗帜服饰，将美善的言词写到书中，并定下律法，颁布准则，树立表率，教人们遵从法度，告诉人们先王遗留下来的典章制度，教导人们如何防止营私舞弊，委任人们官职，教导人们礼仪，让人们不要违背因地制宜的原则，让百官都信赖他们，这种做法一直保持到死去。圣人和先王都是这样做的。

【原文】

孝敬忠信为吉德①，盗贼藏奸为凶德。

【注释】

①吉德：美德。

【译文】

孝敬、忠信是高尚的德行，盗贼、藏匿奸邪是不良的行径。

宣公

【原文】

人谁无过？过而能改，善莫大焉。《诗》曰："靡①不有初，鲜②克有终。"

【注释】

①靡：没有。

②鲜：少。

【译文】

谁没有犯过错误呢？犯了错能够改正，没有比这更好的事情了。《诗经》说："万事都有开始，却很少有能坚持到最后的。"

【原文】

民生在勤，勤则不匮。

【译文】

民生在于勤劳，勤劳则生计就不会困乏。

【原文】

夫文，止戈为武。武王克商，作《颂》曰：“载戢干戈[①]，载橐[②]弓矢。”夫武，禁暴、戢[③]兵、保大、定功、安民、和众、丰财者也。故使子孙无忘其章[④]。

【注释】

①载戢（jí）干戈：把干戈收藏起来。戢，收藏兵器。载，助词，用在句首或句中，起加强语气的作用。

②橐（gāo）：收藏弓矢、盔甲的袋子。

③戢：停止。

④章：诗歌或乐曲的段落。

【译文】

从文字结构上看，止、戈二字合起来成为一个“武”字。周武王打败商朝以后，周人作《周颂》说：“干戈收起没用场，弓箭收好袋中藏。”谈起武，就是要禁绝强暴、消灭战争、保卫天下、建立功业、安定百姓、协调诸国、创造财富的。因此要使子孙不要忘记这些诗章。

【原文】

古人有言曰：“虽鞭之长，不及马腹。”

【译文】

古人有句话说：“虽然马鞭很长，也不能打到马腹上（否则马会跳起来，将骑马之人摔下）。”

【原文】

君能制命为义，臣能承命为信。

【译文】

国君制定颁布正确的命令就是义，臣子执行君主正确的命令就是信。

【原文】

天反时为灾，地反物为妖，民反德为乱。乱则妖灾[1]生。

【注释】

①妖灾：古代指天时、物类的反常现象。

【译文】

上天违反四季运行规律就会发生灾害，大地违反万物的常性就会出现妖异，君民违反德义就会生出祸乱。祸乱出现，就会发生天地灾祸妖异等诸种现象。

【原文】

夫善人在上，则国无幸民[1]。谚曰："民之多幸，国之不幸。"是无善人之谓也。

【注释】

①幸民：心存侥幸的人。

【译文】

有德行的人处于上位，国内的百姓就不会心存侥幸。有谚语说："如果百姓都存在着侥幸心理，那么整个国家将陷于不幸。"说的就是没有德行美善的人执政啊。

成公

【原文】

德、刑、详、义、礼、信，战之器[1]也。德以施惠，刑以正邪，详[2]以事神，义以建利，礼以顺时，信以守物。上下和睦，周旋不逆。是以神降之福，时无灾害。民生敦厖[3]，和同以听。莫不尽力以从上命，此战之所由克也。

【注释】

①器：器用。

②详：通"祥"，和顺，指对待神的态度。

③敦厖（máng）：敦，厚。厖，大。

【译文】

德行、刑罚、和顺、道义、礼法、信用，这些都是战争的必备武器。德行可以施加恩惠，刑罚可以纠正邪恶，和顺用来侍奉神灵，道义可以建立功利，礼法可以使行为顺应时势，信用用来守护事物。上下因此达成和谐一致，交往时就不会违背义理。神灵就会赐给福祉，一年四季就会不发生灾害。百姓生活富足，和睦一心，听从政令。没有不尽全力服从上级命令的，这就是战争取胜的原因。

襄公

【原文】

良君养民如子，盖①之如天，容之如地。民奉其君，爱之如父母，仰之如日月，敬之如神明，畏之如雷霆。

【注释】

①盖：遮蔽，引申为庇佑。

【译文】

贤明的国君养育臣民就如同养育自己的子女，像天一样庇护自己的百姓，像地一样包容自己的百姓。百姓尊奉国君，爱戴他就如同爱戴自己的父母，仰慕他就如同仰慕天上的日月，敬重他就如同敬重神灵，畏惧他就如同畏惧雷霆。

【原文】

天生民而立之君，使司牧①之，勿使失性②。有君而为之贰③。使师保之，勿使过度，善则赏之，过则匡④之。患则救之，失⑤则革⑥之。

【注释】

①司牧：统治。

②性：作“生”解。

③贰：辅佐的大臣。

④匡：匡正。

⑤失：通“佚”，放纵。

⑥革：更改。

【译文】

上天孕育百姓并为他们设立国君，让国君来管理他们，从而他们不会失去生计。有了国君，又为他设置辅佐之臣。让大臣辅佐他，不让他超过正常的限度，有了善举就宣扬它，有了过失就匡正它。有了灾祸就救助它，有了放纵就改正它。

【原文】

在上位者，洒濯[①]其心，壹以待人[②]，轨度其信[③]，可明征[④]也。而后可以治人。

【注释】

①洒濯（zhuó）：“洒濯”，洗涤。

②壹以待人：待人专一。

③轨度其信：使他的诚信合于法度。

④征：征验。

【译文】

处于上位的人，要时刻洗涤自己的心地，待人真诚专一，言行诚信而合乎法度，这些都做到了，百姓就会信任他，然后才可以治理百姓。

【原文】

夫上之所为，民之归[①]也。上所不为，而民或为之，是以加刑罚焉，而莫敢不惩[②]。若上之所为，而民亦为之，乃其所也[③]，又可禁乎？

【注释】

①归：归附。

②惩：警戒。

③乃其所也：那是上者诱导的结果，意即必然之势。

【译文】

处于上位之人的所作所为，百姓会自然地效法。上位之人不去做的，百姓中有人做了，就会对他加以惩罚，这样就没人不敢不加以警戒了。如果处于上位之人所做的，百姓也有人做了，这是必然的趋势，又怎么能禁止呢？

【原文】

视民如子，见不仁者，诛之，如鹰鹯之逐鸟雀也。

【译文】

（国君）对待百姓要像对待子女一样，见到不仁之人，就去惩罚他，就像老鹰、鹯鸟追赶小鸟一样。

【原文】

善为国者，赏不僭①而刑不滥。赏僭，则惧及淫人②；刑滥，则惧及善人。若不幸而过，宁僭无滥；与其失善，宁其利淫。无善人，则国从之。《诗》曰："人之云亡，邦国殄瘁③。"无善人之谓也。故《夏书》曰："与其杀不辜，宁失不经④。"惧失善也。

【注释】

①僭（jiàn）：超越本分。

②淫人：邪恶的人。

③殄瘁：病困。

④不经：不按既定规矩办。

【译文】

善于治理国家的人，封赏不过分，刑罚不滥用。过分封赏，就怕波及坏人；过分刑罚，就怕波及好人。如果不幸过分了，宁可过分封赏也不滥用刑罚；与其失掉贤人，不如有利于坏人。没有贤人，国家将失去方向。《诗经》说："贤人没有了，国家就会受到损害。"说的就是失去贤人啊。因此《夏书》说："宁可偏宽不依常法，也不能错杀无辜。"是怕失掉贤人啊。

【原文】

古之治民者，劝赏而畏刑。恤民不倦，赏以春夏，刑以秋冬。是以将赏，为之加膳，加膳则饫[①]赐，此以知其劝赏也；将刑，为之不举[②]，不举则彻[③]乐，此以知其畏刑也；夙兴夜寐，朝夕临政，此以知其恤民也。三者，礼之大节也。有礼无败。

【注释】

①饫（yù）：饱食。

②不举：减少膳食，撤掉音乐。古代逢大的天灾人祸，皆除去盛馔，静息声乐。

③彻：撤除，撤去。

【译文】

古来治理百姓的人，能让百姓喜爱赏赐畏惧刑罚。体恤民情从不倦怠，在春夏行赏，秋冬处刑。因此将要行赏时，就增加膳食，增加膳食后把剩余的食品赏给下人，这是为了让人知道他是乐于行赏的。将要行刑的时候，为此而减餐，减餐又撤掉音乐，这是让人民知道他是慎用刑罚的；他早起晚睡，朝夕处理朝政，这是让百姓知道他体恤人们。这三个地方，是礼的重要所在。有了礼制，就不会失败。

【原文】

无威则骄，骄则乱生；乱生必灭，所以亡也。

【译文】

如果没有上天的震慑，国君就会骄纵，骄纵就会引发祸乱；发生祸乱就会有覆灭的危险，这是亡国的真正原因。

【原文】

故君子在位可畏，施舍可爱，进退可度，周旋可则，容止可观，作事可法，德行可象，声气可乐，动作有文，言语有章，以临其下，谓之有威仪也。

【译文】

所以说君子在位时要使人敬畏，施惠于人要使人敬爱，进退可以作为人们的规范，社交言行得体可以作为人们的准则，仪容举止都可以观赏，待人处事都可以效法，道德品行都可以学习，声音气度使人愉悦，动作优雅斯文，说话清晰有条理，用这些来对待臣民，就叫作有威仪。

昭公

【原文】

譬如农夫，是穮①是蓘②。虽有饥馑，必有丰年。

【注释】

①穮（biāo）：耕田除草。

②蓘（gǔn）：用土培苗根。

【译文】

就像农夫，只要辛勤耕耘，除草培土。虽然不免有一时的饥困，但必定有丰收的年成。

【原文】

《诗》曰：“不僭不贼①，鲜不为则。”信也。能为人则者，不为人下矣。

【注释】

①贼：害人。

【译文】

《诗经》说：“不僭越不害人，很少有不会成为榜样。”确实是这样。能够成为众人榜样的，就不会久居人下。

【原文】

远恶①而后弃。善亦如之，德远而后兴。

【注释】

①远恶：恶行遍及远方。

【译文】

罪恶遍及远方，接着就会被大家抛弃。善良也一样，德行传播到远方，然后就会兴盛发达。

【原文】

国将亡，必多制。

【译文】

国家将要灭亡时，必定会制定出许多律法。

【原文】

礼之可以为国也久矣，与天地并[1]。君令[2]臣恭，父慈子孝，兄爱弟敬，夫和妻柔，姑[3]慈妇听[4]，礼也。君令而不违，臣恭而不贰，父慈而教，子孝而箴，兄爱而友，弟敬而顺，夫和而义，妻柔而正，姑慈而从[5]，妇听而婉[6]。礼之善物也。

【注释】

①并：平列。

②令：美好。

③姑：丈夫的母亲，即婆婆。

④听：听从。

⑤从：不独断专行。

⑥婉：顺从。

【译文】

礼制很久以来都可以用来治理国家，它和天地并兴。君王德行美善，臣下严肃恭敬；父亲慈祥，儿子孝顺；兄长友爱，弟弟恭顺；丈夫和气，妻子柔顺；婆婆慈和，媳妇顺从。这些都是礼。君王德行美善而不违礼制，臣下恭敬不生二心；父亲慈祥而善于教导子女，儿子孝顺而善于规劝父母；兄长友爱而亲近弟弟，弟弟恭敬而顺从兄长；丈夫和气而言行合乎义理，妻子温柔而端庄正直；婆婆慈和而不独断专行，媳妇听从而温顺。这些都是礼中最善的事啊。

【原文】

夫举无他，唯善所在，亲疏一也。

【译文】

举荐没有其他标准，只在于贤能，无论关系亲疏，都要一视同仁。

定公

【原文】

违[①]强凌弱，非勇也；乘人之约[②]，非仁也；灭宗废祀，非孝也；动无令名[③]，非智也。

【注释】

①违：回避。

②约：捆缚，此处指昭王此时正处困境。

③令名：美好的名声。

【译文】

躲避强势，欺凌弱小，这不是勇敢；趁人之危相要挟，这不是仁义；灭人宗族，废人祭祀，这不是孝道；做事没有获得好名声，这不是智者。

【原文】

苟有可以加于国家者，弃其邪可也。故用其道，不弃其人。

【译文】

如果一个人可以为国家谋利益，不责备他的邪恶之处也可以。所以采用了一个人的主张，就不要抛弃他这个人。

哀公

【原文】

树德[①]莫如滋[②]，去疾莫如尽。

【注释】

①树德：施行德政。

②滋：滋生，增长。

【译文】

施行德政莫过于让它不断地滋生，去除病患莫过于彻底斩断病根。

【原文】

臣闻国之兴也，视民如伤，是其福也；其亡也，以民为土芥，是其祸也。

【译文】

臣听闻国家兴盛时，对待百姓就像对待自己身上的伤痛一样，这是国家之福；国家要灭亡时，对待百姓就像泥土草芥，这是国家之灾祸。

【原文】

盈[①]必毁，天之道也。

【注释】

①盈：满。

【译文】

骄傲自满定会使人失败，这是自然规律啊。

礼记治要

【题解】

《礼记》是注解《仪礼》的著作，与《周礼》《仪礼》合称“三礼”，是研究我国古代典章制度的重要著作。《礼记》是由西汉的戴圣对先秦汉民族礼仪著作加以辑录编纂而成的，是一部儒家思想的资料汇编。全书共四十九篇，其中多数篇章可能是孔子及其弟子作品，内容包括政治、法律、伦理、哲学等诸多方面。

曲礼

【原文】

《曲礼》曰：毋不敬[①]。俨[②]若思。安定辞。安民哉！

【注释】

①敬：恭敬。

②俨：通“严”。

【译文】

《曲礼》说：待人处事必须恭敬严谨，神态应当端庄肃重，好像若有所思，说话要态度安详、言辞审慎。这样才能安定民心。

【原文】

傲不可长，欲不可从，志不可满，乐不可极。

【译文】

不可滋长傲慢心，不能放纵自己的欲望，内心的意志不可过度自满，不要过度享乐。

【原文】

贤者狎[①]而敬之，畏而爱之。爱而知其恶，憎而知其善。

【注释】

①狎：亲近。

【译文】

对贤德的人要亲近并且尊重，敬畏并且爱慕。对喜爱的人要能了解他的缺点，对厌恶的人要能看到他的优点。

【原文】

夫礼者，所以定亲疏、决嫌疑[①]、别同异、明是非也。

【注释】

①嫌疑：指易于混淆及是非难辨的事。

【译文】

礼，是用来确定人与人之间的亲疏关系，判断事物的是非难辨之处，区分事物的异同之处，辨明是非曲直的。

【原文】

道德仁义，非礼不成；教训正俗，非礼不备；分争辨讼，非礼不决；君臣上下，父子兄弟，非礼不定；宦学[1]事师，非礼不亲；班朝治军，莅官行法，非礼，威严不行；祷祠祭祀，供给鬼神，非礼，不诚不庄。

【注释】

①宦学：学习为官所需的各种知识。

【译文】

弘扬道德，践行仁义，没有礼就不能有所成就；教学训导，端正风俗，没有礼就不能完备；分别曲直，辨别是非，没有礼就不能有正确的决断；君臣上下，父子兄弟，没有礼就不能确定名分；为官从政，求学事师，没有礼就不能相互亲近；整肃朝官，治理军队，官员任职，执行法令，没有礼就不能彰显威严；祈祷酬谢神灵，祭祀供养祖先，没有礼就不能体现诚敬庄重。

【原文】

富贵而知好礼，则不骄不淫；贫贱而知好礼，则志不慑[1]。

【注释】

①慑：畏怯困惑。

【译文】

富贵的人若能知道主动遵行礼仪，就不会变得骄奢淫逸；生活贫贱却仍然懂得遵从礼仪规范，就会有志而无所畏惧。

【原文】

国君春田[1]不围泽，大夫不掩群，士不取麛[2]卵。

【注释】

①春田：春季的田猎。

②麛（mí）：幼鹿，泛指幼兽。

【译文】

国君在春季行猎的时候，不会将整个猎场都包围起来，大夫不会追捕成群的野兽，士人不会猎杀幼兽、掏取鸟卵。

【原文】

岁凶，年谷不登[1]。君膳不祭肺，马不食谷，驰道[2]不除[3]，祭事不县[4]，大夫不食粱[5]，士饮酒不乐。

【注释】

①登：谷物成熟。

②驰道：古代供君王行驶车马的道路，泛指供车马行走的大道。

③除：整治，修治。

④县：通“悬”，指悬挂钟磬等乐器。

⑤粱：稻粱。古时以黍稷为正馔，以稻粱加设在后。

【译文】

遇到旱涝的灾荒年，庄稼几乎没有收成，国君就不能再杀生祭祀了，喂马时不再喂谷类，驰道不再修整，祭祀时也不再演奏乐曲。大夫们吃过主食后不会再吃稻粱，士人喝酒时也不再演奏乐曲。

王制

【原文】

国无九年之蓄，曰不足；无六年之蓄，曰急；无三年之蓄，曰国非其国也。三年耕，必有一年之食；九年耕，必有三年之食。以三十年之通，虽有凶旱水溢，民无菜色[1]。然后天子食，日举以乐。

【注释】

①菜色：指挨饿。

【译文】

如果国家没有九年的储备，就是不够充裕；如果没有六年的储备，就算是很窘迫了；如果没有三年的储备，国家就不能称之为国家了。耕种三年之后，才能积下一年的粮食；耕种九年之后，才能积下三年的粮食。用三十年累积下来的储备，虽有荒灾、旱涝灾害，百姓也不至于挨饿。那时候天子就能每天进食，享受音乐。

文王世子

【原文】

乐，所以修内也；礼，所以修外也。礼乐交错于中，发形于外。

【译文】

乐是用来陶冶内在心性的；礼是用来修养外在举止的。礼和乐相互涵养于内心，并表现在言行之间。

【原文】

是故知为人子，然后可以为人父；知为人臣，然后可以为人君；知事人，然后能使人。

【译文】

因此懂得如何做一个好儿子，然后才能做一位好父亲；懂得如何做一个好臣子，然后才能做一位好国君；懂得如何侍奉他人，然后才能差使他人。

【原文】

故学之为父子焉，学之为君臣焉，学之为长幼焉。父子、君臣、长幼之道，得而国治。

【译文】

所以一切教导，教的就是父子之道、君臣之义、长幼之礼。知道了父子、君臣、长幼的道理，国家就会大治了。

礼运

【原文】

大道①之行也，天下为公，选贤与能。故人不独亲其亲，不独子其子，使老有所终，幼有所长，鳏寡、孤②独③、废疾者皆有所养。是故谋闭而不兴，盗窃乱贼而不作，是谓大同。

【注释】

①大道：指五帝时的治理天下之道。

②孤：年幼时父亲去世或父母双亡。

③独：老而无子。

【译文】

大道通行的年代，天下是为人民所共有的，选拔贤才、委任有能力的人做领袖。因此人们不仅仅爱自己的双亲，不仅仅抚养自己的子女，还要使老人能得到终养，儿童能得到抚育，鳏夫、寡妇、孤儿、没有儿女的老人以及残障的人等都得到照顾和抚养。因此阴谋诡计会被扼制而不得施展，强盗、小偷、乱徒、贼党都不会产生，这就是大同社会。

【原文】

夫礼者，先王以承天之道，以治人之情，故失之者死，得之者生。《诗》云："人而无礼，胡不遄死！"故圣人以礼示之，天下国家可得而正。

【译文】

礼，是古圣先王秉承自然法则，用来调治人的心性的，所以丧失礼的人就如同死了一样，遵循礼的人才能生存。《诗经》说："人如果没有礼，为什么不赶快去死！"所以圣人用礼来显示天道，引导百姓，天下国家就能走进正道了。

【原文】

四体既正，肤革①充盈，人之肥②也；父子笃，兄弟睦，夫妇和，家之肥也；大臣法，小臣廉，官职相序，君臣相正，国之肥也。天子以德为车，以乐为御，诸侯以礼相与，大夫以法相序，士以信相考③，百姓以睦相守，天下之肥也。是谓大顺。

【注释】

①肤革：肤，外面的薄皮。革，皮肤内的厚皮。

②肥：富裕。

③考：成就，成全。

【译文】

一个人四肢完好，肌肤润泽丰满，这是身体的富足；父子关系笃实，兄弟和睦相处，夫妻和顺，这是家庭的富足；大臣守法，小官廉洁，职守分工明确、各司其责，君臣之间相互匡正过失，这是国家的富足。天子以德行为车乘，以乐教为驾车人，诸侯之间以礼交往，大夫们以法规维持秩序，士族以诚信彼此成全，百姓以和谐共处，这是全天下的富足。这就是大顺。

礼器

【原文】

君子有礼，则外谐而内无怨。故物无不怀仁，鬼神飨德。

【译文】

君子有礼，待人接物就会无不和谐，内心安宁而没有抱怨。人们全部归心于他的仁德，鬼神也愿意去享用这样有德之人的祭祀。

【原文】

先王之立礼也，有本有文。忠信，礼之本；义理，礼之文。无本不立，无文不行。

【译文】

古圣先王制定的礼既有深刻的本质，又有优美的形式。忠信，是礼的本质；义理，是礼的形式。没有忠信的本质，礼就不能成立；没有义理的形式，礼就无法推行。

内则

【原文】

曾子曰："孝子之养老，乐其耳目，安其寝处，以其饮食忠养之。父母之所爱亦爱之，父母之所敬亦敬之，至于犬马尽然，而况于人乎？"

【译文】

曾子说："孝子奉养父母，就是要准备礼乐使父母耳目愉悦，准备住处使父母安适，准备的饮食等都要尽善尽美。父母所喜爱的自己也喜爱，父母恭敬的自己也恭敬，就是对父母喜欢的犬、马也是如此，何况是对父母所敬爱的人呢？"

大传

【原文】

圣人南面[①]而听天下，所且[②]先者有五，民不与焉。一曰治亲，二曰报功，三曰举贤，四曰使能，五曰存[③]爱。五者一得于天下，民无不足、无不赡[④]。五者一物纰缪，民不得其死。圣人南面而治天下，必自人道始矣。

【注释】

①南面：古代君主通常坐北朝南。

②且：将要。

③存：审察。

④赡：丰裕。

【译文】

圣明的君主听政天下，将要先做好五件事情，这里还不包括治理百姓。第一是确定亲属关系，第二是封赏有功之臣，第三是选拔贤德之人，第四是任用人才，第五是明察善心善行的人。这五件事如果都能做到，那天下的百姓就能自足，过上富裕的日子了。这五件事如果有一件出错，百姓就没办法尽其天寿。圣明的君主治理天下，必须从人伦之道开始做起。

乐记

【原文】

音声之道，与政通矣。宫为君，商为臣，角为民，徵为事，羽为物。五者不乱，则无怗懘[1]之音矣。宫乱则荒，其君骄；商乱则陂[2]，其臣坏；角乱则忧，其民怨；徵乱则哀，其事勤；羽乱则危，其财匮。五者皆乱，迭[3]相陵[4]，谓之慢。如此则国之灭亡无日矣。

【注释】

①怗懘（chì）：音调不和谐。怗，音帖，平定。使服帖。懘，不流畅，不和谐。

②陂（bēi）：倾斜。

③迭：交替，意即相互。

④陵：古同“凌”，侵犯。

【译文】

声音之理与政治是相通的。五种音阶中，宫相当于君，商相当于臣，角相当于民，徵相当于事，羽相当于物。如果这五者协调不乱，就不会出现不和谐的音乐。宫音乱会显得荒散，表明国君骄矜；商音乱会显得倾颓，表明臣道的败坏；角音乱会显得忧愁，表明百姓积怨甚深；徵音乱会显得哀伤，表明百事辛劳无功；羽音乱会显得窘迫，表明国用匮乏。如果这五者都乱作一团，相互侵凌，就是一种怠惰的慢音。至此国家就离灭亡之日不远了。

【原文】

乐之隆，非极音；食飨[1]之礼，非致味。是故先王之制礼乐，非以极口腹耳目之欲，将以教民平好恶，而反人道之正。

【注释】

①食飨（xiǎng）：以酒食宴请宾客或祭祀宗庙。

【译文】

音乐的盛大，并不是追求极致的钟鼓之音；祭祀的礼仪，并不是要有极致的美味。因此古圣先王制定礼乐的目的不在于满足人们口腹耳目的欲望，而在于教导百姓辨别善恶，进而返回到道德的正途。

【原文】

乐由中出，礼自外作。大乐必易，大礼必简。乐至则无怨，礼至则不争。揖让而治天下者，礼乐之谓也。大乐与天地同和，大礼与天地同节。和，故百物不失；节，故祀天祭地。

【译文】

音乐由内心里发出，礼仪从行为上显露。盛大的音乐一定是平易的，隆重的礼仪一定是简约的。乐教通达则人们心中没有怨气，礼教到位则百姓不竞相争斗。君主谦和而治理天下，说的就是礼乐教化之下的政治。盛大的音乐和天地相和谐，隆重的礼仪与天地一样各就其位。因为和谐，所以万物不失其本性；因为有序，所以能以此来敬奉天地。

【原文】

王者功成作乐，治定制礼。五帝殊时，不相沿乐；三王①异世，不相袭礼。故圣人作乐以应天，制礼以配地。礼乐明备，天地官②矣。

【注释】

①三王：指夏禹、商汤、周文王。

②官：动词，各尽其职。

【译文】

王者成就功业后才开始作乐，统治安定时才开始制礼。五帝处在不同的时代，都不承袭前代的音乐；夏、商、周三朝的君王也世相迥异，都不承袭前代的礼制。因此圣人作乐，是为了应和上天的大道，制礼是为了配合大地的法则。礼乐一旦完备，天地万物就可以各循其道，各得其所。

【原文】

故乐行而伦清，耳目聪明，血气和平，移风易俗，天下皆宁。

【译文】

所以乐教通行而人伦清和，耳聪目明，血气平和，移风易俗，天下安宁。

祭义

【原文】

先王之所以治天下者五：贵有德也，贵贵也，贵老也，敬长也，慈幼也。此五者，先王之所以定天下也。贵有德，为其近于道也；贵贵，为其近于君也；贵老，为其近于亲也；敬长，为其近于兄也；慈幼，为其近于子也。

【译文】

古圣先王之所以能够治理天下主要有五个原则：尊重有道德的人，尊敬有地位的人，尊敬老者，尊敬长者，爱护年幼的人。这五点，是先王能够安定天下的原因。尊敬有道德的人，是因为他们可以亲近正道；尊重有地位的人，是因为他们亲近君主；尊重老者，是因为他们近似自己的双亲；尊重长者，是因为他们近似自己的兄长；爱护年幼的人，是因为他们近似自己的子女。

经解

【原文】

居处有礼，进退有度，百官得其宜，万事得其序。《诗》云："淑人君子，其仪不忒[①]。其仪不忒，正是四国。"此之谓也。发号出令而民悦，谓之和；上下相亲，谓之仁；民不求其所欲而得之，谓之信；除去天地之害，谓之义。义与信，和与仁，霸王之器[②]也。有治民之意，而无其器则不成。

【注释】

①忒（tè）：差错。

②器：用来做事的工具、方法。

【译文】

日常起居彬彬有礼，平时做事进退合宜，朝廷百官各得其所，万事都井井有条。《诗经》里说：“善人君子，他们的礼仪没有一点差错。礼仪没有差错，所以能匡正四方百姓。”说的就是这个道理。发号施令而能使百姓愉悦，这就是和；上下亲爱互助，这就是仁；百姓不追求欲望的需要就能得到满足，这就是信；消除天地间的灾祸，这就是义。义与信、和与仁，是推行王道的利器。如果只有统治百姓的愿望，而没有这些工具，就不会成功。

【原文】

故朝觐之礼，所以明君臣之义也；聘问[①]之礼，所以使诸侯相尊敬也；丧祭之礼，所以明臣子之恩也；乡饮酒之礼，所以明长幼之序也；婚姻之礼，所以明男女之别也。夫礼，禁乱之所由生，犹防止水之所自来也。故以旧防为无所用而坏之者，必有水败；以旧礼为无所用而去之者，必有乱患。故婚姻之礼废，则夫妇之道苦，而淫僻之罪多矣；乡饮酒之礼废，则长幼之序失，而斗争之狱[②]繁矣；丧祭之礼废，则臣子之恩薄，而背死[③]忘生者众矣；聘觐之礼废，则君臣之位失，而背叛侵陵之败起矣。故礼之教化也微，其正邪也于未形，使人日徙善[④]远罪而不自知也，是以先王隆之也。

【注释】

①聘问：古代诸侯之间互相遣使访问叫聘，小规模的聘叫问，通称聘问。

②狱：官司。

③背死：指忘记其祖先。

④徙善：趋向好的方面。

【译文】

所以，臣子觐见君主的礼仪，是为了明确君臣之间的关系；聘问之礼，是为了让诸侯彼此尊敬；丧礼、祭祀的礼仪，是为了明确臣子、人子对君主和父母的感恩之情；乡饮酒礼，是为了明确长幼的次序；婚姻的礼仪，是为了表明男女之别。礼，是为了禁止混乱而制定的，就好比为了防止水患而建筑堤坝一样。所以如果旧的堤坝因为没有用处而遭到破坏，最后肯定会遭受水灾之害；如果认为旧时的礼仪没有用处便废除，最后肯定会发生混乱。因此如果废除了婚姻的礼仪，那么夫妻关系就会被破坏，就会增加淫乱邪僻的罪恶；如果废除了乡饮酒礼，就会失去长幼秩序，争斗的罪行也会日益繁多；如果废除了丧礼和祭祀礼，臣子、人子就不会懂得感恩，而忘记祖先、遗忘生者的人就会增加；如果将聘问和朝觐的礼仪废除，君臣上下关系就遭到破坏，诸侯开始犯下罪恶的行为，而背弃君主、欺辱别国的战乱就会兴起。所以礼的教化是隐微的，它在邪恶还没有形成的时候就能够起到防止的作用，让众人渐渐向善并且远离罪恶，这些都是在不知不觉中进行的，所以先王才对它特别重视。

【原文】

《易》曰：“君子慎始，差若毫厘，谬以千里。”此之谓也。

【译文】

《周易》说：“君子开始的时候一定要慎重，如果开始时有毫厘之差，就会造成相去千里的大错。”说的就是这个意思。

仲尼燕居

【原文】

子曰：“礼者何也？即事之治也。治国而无礼，譬犹瞽[①]之无相[②]与，伥伥乎其何之？譬如终夜有求[③]幽室之中，非烛何以见之？若无礼，则手足无所措[④]，耳目无所加，进退揖让无所制。是故以之居处，长幼失其别，闺门[⑤]三族[⑥]失其和，朝廷官爵失其序，军旅武功失其制，宫室失其度量，丧纪失其哀，政事失其施，凡众之动失其宜。”

【注释】

①瞽（gǔ）：盲人。

②相：辅助，此处作名词，辅助者。

③求：探求，摸索。

④措：放置。

⑤闺门：宫苑、内室的门，借指宫廷、家庭。

⑥三族：指父、子、孙。

【译文】

孔子说："礼是什么呢？就是做事的准则。如果治理国家没有礼，就像盲人没有辅助的人，茫然无助不知该往哪里走？又好像整夜在暗室里摸索，没有烛火怎么能看见东西？如果没有礼，就不知道如何放置手足，眼睛不知看什么，耳朵不知听什么，进退与行礼避让也不知道该怎么做。所以如果没有礼，日常起居中，长辈和晚辈之间就会尊卑失序，家族中父、子、孙三代就会失去和睦，朝廷中官爵职位秩序就会紊乱，军队中行军打仗就会没有纪律纲法，宫室中建筑就不合法度规模，丧葬活动中就会失去悲哀的轻重标准，政事就会实施不力，所有的行为都会失去应有的分寸。"

中庸

【原文】

天命之谓性，率①性之谓道，修道之谓教。道也者，不可须臾离也，可离非道也。是故君子戒慎乎其所不睹，恐惧乎其所不闻。莫见②乎隐，莫显乎微，故君子慎其独也。

【注释】

①率：依循，遵循。

②见：同"现"。

【译文】

上天赋予人的秉性称为性，遵循天性而为便称为道，使人修道称为教。道，稍微离开一会儿都不可以，能够离开的就不是道了。所以君子行事在没有人看见的时候也应该谨慎小心，在别人听不见的地方也要戒慎畏惧。即便是在隐蔽的地方，即便是在细微的事情上，也不会离道而行。所以说，君子一个人的时候也是非常慎重的。

表记

【原文】

子曰："君子不以辞尽人。故天下有道，则行有枝叶；天下无道，则辞有枝叶。"

【译文】

孔子说："君子不会因一个人言辞就判定他贤明与否。所以当天下有道时，人们的行为就如枝叶般细致周到；天下无道时，人们的言语就如枝叶般华而不实。"

【原文】

故君子之接①如水，小人之接如醴②；君子淡以成，小人甘以坏。不以口誉③人，则民作忠。故君子问人之寒，则衣之；问人之饥，则食之；称人之美，则爵之。

【注释】

①接：相交。

②醴（lǐ）：甜酒。

③誉：赞美。

【译文】

所以君子之交就像清水一样，小人之交就像甜酒一样；君子之交淡泊，又相辅相成，小人之交甘甜，日子久了却会腐坏。君子不以空话讨好人，那么百姓就会变得忠诚。所以君子询问人是否寒冷的时候，就会送衣服给他穿；询问人是否饥饿的时候，就会递食物给他吃；称赞人品德高尚的时候，就会授予他相应的爵位。

缁衣

【原文】

子曰："王言如丝，其出如纶①；王言如纶，其出如綍②。故大人不倡[3]游言[4]。可言也，不可行，君子弗言也；可行也，弗可言，君子弗行也。则民言不危[5]行，而行不危言矣。”

【注释】

①纶：青丝制成的带子，古代低级官吏用以系印，称为“绶”。

②綍（fú）：同“绋”，引棺的大绳索。

③倡：倡导，引导。

④游言：浮夸不实的言论。

⑤危：高峻。

【译文】

孔子说：“国君的言语如果细如丝，传出去就会像一条丝制的绶带那样宽大；国君的言语如果像一条丝制的绶带，传出去就会像牵引棺木的大绳那样粗壮。所以说，处于高位的人不能说华而不实的话。可以说却不可以去做的话，君子不要说；可以做但不可以说的事，君子也不要做。这样一来，百姓所说的就不会违背所做的，所做的也不会违背所说的。”

【原文】

子曰：“民以君为心，君以民为体；心庄则体舒，心肃则容敬。心好之，身必安之；君好之，民必欲之。心以体全，亦以体伤；君以民存，亦以民亡。”

【译文】

孔子说：“百姓把君王当作自己的心，君王把百姓当作自己的身体。内心端庄，身体才会安适舒展，内心严肃，容止才会恭敬庄严。内心喜欢什么，身体也一定会安于什么；君主喜欢的，百姓也一定会喜欢。内心因身体而完整，也会因身体而受伤；君主依靠民众而生，也因民众而亡。”

大学

【原文】

民之所好好之，民之所恶恶之，此之谓民之父母。好人之所恶，恶人之所好，是谓拂[①]人之性，灾必逮夫身。

【注释】

①拂：悖逆。

【译文】

百姓喜欢的我们就去喜欢，百姓讨厌的我们就去讨厌，这样就可以算是百姓的父母了。喜欢人们所讨厌的事，讨厌人们所喜欢的事，这叫作悖逆人性，灾难一定会降临到他的身上。

昏义

【原文】

男女有别，而后夫妇有义；夫妇有义，而后父子有亲；父子有亲，而后君臣有正。故曰："婚礼者，礼之本也。"

【译文】

男女有别，然后才能确定夫妇间的道义；夫妇有义，然后父子才会相处和睦；父子相处和睦，君臣间的关系才会端正。所以说："婚礼，是礼的根本所在。"

周礼治要

【题解】

《周礼》是儒家十三经之一，又称《周官》或《周官经》，是一部记载周代官制的著作，世传为周公旦所作，实际成书于战国时期，是古代汉民族礼乐文化的成就作品——"三礼"之一。《周礼》全书共六篇，记载了先秦时期社会政治、经济、文化、风俗、礼法诸制，其内容极为丰富，堪称上古文化史的宝库。

天官

【原文】

建邦之六典，以佐王治邦国：一曰治典，以经[1]邦国，以治官府，以纪万民；二曰教典，以安邦国，以教官府，以扰[2]万民；三曰礼典，以和邦国，以统百官，以谐万民；四曰政典，以平邦国，以正百官，以均万民；五曰刑典，以诘邦国，以刑百官，以纠万民；六曰事典，以富邦国，以任百官，以生万民。

【注释】

①经：治理。

②扰：安抚。

【译文】

开始建立国家的六种法典，用来辅佐国君治理国家：一是治典，用来治理诸侯国，管理官府，治理百姓；二是教典，用来安定诸侯国，教导官员，安抚百姓；三是礼典，用来使诸侯国和睦相处，百官同心，百姓融洽；四是政典，用来使诸侯国秩序安定，百官公正廉明，百姓赋税徭役均衡；五是刑典，用来查处诸侯国的非礼行为，惩罚百官的罪责，矫正百姓的过错；六是事典，用来使诸侯国国经济富足，百官各有成就，百姓生活得到改善。

【原文】

以八柄诏王驭群臣：一曰爵，以驭其贵；二曰禄，以驭其富；三曰予，以驭其幸；四曰置[1]，以驭其行；五曰生，以驭其福；六曰夺，以驭其贫；七曰废，以驭其罪；八曰诛，以驭其过。以八统诏王驭万民：一曰亲亲，二曰敬故，三曰进贤，四曰使能，五曰保庸，六曰尊贵，七曰达[2]吏，八曰礼宾。

【注释】

①置：赦罪，释放。

②达：举荐。

【译文】

（太宰）用八种权柄来辅佐国君统治群臣：一是封爵，使他们尽享尊贵；二是给予俸禄，使他们拥有财富；三是给予赏赐，使他们感受到国君的宠爱；四是给予赦免，用感化的方法让他们提升自身德行；五是供养，使他们享受福祉；六是没收家财，使他们经受贫困；七是罢黜官职，使他们从罪行中得到警戒；八是问责，使他们承担自己的过错。用这八种统御手段来辅佐国君管控天下臣民：一能亲近亲族，二能尊敬故旧，三能推举贤人，四能任用人才，五能奖赏有功绩的人，六能尊重有地位的人，七能推举勤勉的官吏，八能礼遇各国诸侯。

地官

【原文】

师氏[1]掌以美诏王。以三德教国子[2]：一曰至德，以为道本；二曰敏德，以为行本；三曰孝德，以知逆恶也。教三行：一曰孝行，以亲父母；二曰友行，以尊贤良；三曰顺行，以事师长。

【注释】

①师氏：周代官名。主要负责辅导王室，教育贵族子弟以及朝仪得失之事。

②国子：王世子、王子和公卿大夫的子弟都称为国子。

【译文】

师氏负责用美善之道教导国君。用三德来教导王世子、王子和公卿大夫的子弟：一是至德，这是道的根本；二是敏德，这是行的根本；三是孝德，由此可以知道忤逆凶恶之事（而不去做）。教导他们三行：一是孝行，用来孝敬父母；二是友行，用来尊仰贤人；三是顺行，用来侍奉师长。

春官

【原文】

凡建国，禁其淫声、过声、凶声、慢声。

【译文】

凡是封立新的诸侯国时，一定要禁止他们用淫邪之音、哀乐失当之音、亡国之音、惰怠不恭之音。

夏官

【原文】

以九伐①之法正邦国。冯弱犯寡，则眚②之；贼贤害民，则伐之；暴内陵外，则坛③之；野荒民散，则削之；负固不服，则侵之；贼杀其亲，则正之；放弑其君，则残之；犯令陵政，则杜④之；外内乱，鸟兽行，则灭之。

【注释】

①九伐：指对九种罪恶的讨伐。

②眚：通“省”，减省。

③坛：古代举行祭祀、誓师等大典用的土和石筑的高台，这里用作动词。

④杜：杜绝，使阻塞。

【译文】

（大司马）用九伐的办法来纠正诸侯国。诸侯中有以强凌弱、以大欺小的，就减少它的疆域；有伤害贤良、残害百姓的，就征讨它；有对内施行暴政、对外欺侮邻国的，就废黜国君，将其囚禁，另立贤主；有使田地荒芜、百姓逃散的，就收回它的土地；有自恃险固、不服大国的，就派兵进入它的国境；有以不正当原因杀害亲族的，就将其正法；有放逐或杀害国君的，就将其毁灭；有违逆命令、藐视国政的，就断绝它与邻国的联系；有扰乱亲疏关系、行禽兽之事的，就让此诸侯小国灭亡。

周书治要

【题解】

《周书》又称《逸周书》，先秦史籍，主要篇章出自战国人之手，其体例类似《尚书》。现存《周书》共十卷，正文七十篇，按年代顺序记录了周代文王、武王、周公、成王、康王、穆王、厉王和景王时代的史实。另外，书中还保存了很多上古时期的历史传说及许多古部民族的名称、人口、山川、物产等情况。

文传解

【原文】

天有四殃，水、旱、饥、荒，其至无时，非务积聚，何以备之？《夏箴①》曰："小人无兼年②之食，遇天饥，妻子非其有也；大夫无兼年之食，遇天饥，臣妾③舆马非其有也；国无兼年之食，遇天饥，百姓非其百姓也。戒之哉，不思祸咎无日矣！"

【注释】

①箴：古代以告诫规劝为主的一种文体。

②兼年：两年。

③臣妾：古时对奴仆的称谓，男曰臣，女曰妾。

【译文】

天降的灾殃有四种：洪水、干旱、谷物不熟、果蔬歉收，这些灾祸的发生没有定时，如果没有粮食储备，那又怎么来预防呢？《夏箴》说："平民百姓如果没有两年的粮食储备，遇上天灾造成的饥荒，将会失去妻子儿女；大夫之家如果没有两年的粮食储备，遇上天灾造成的饥荒，将会失去奴仆车马；国家如果没有两年的粮食储备，遇上天灾造成的饥荒，将会失去天下百姓。人们要以此为戒啊，如果不考虑这些，灾难降临的日子就不远了！”

官人

【原文】

富贵者，观其有礼施；贫穷者，观其有德守；嬖[①]宠者，观其不骄奢；隐约[②]者，观其不慑惧；其少者，观其恭敬好学而能弟；其壮者，观其洁廉务行而胜其私；其老者，观其思慎强其所不足而不逾。父子之间，观其慈孝；兄弟之间，观其和友；君臣之间，观其忠惠；乡党之间，观其信诚；设之以谋，以观其智；示之以难，以观其勇；烦之以事，以观其治；临之以利，以观其不贪；滥之以乐，以观其不荒。喜之，以观其轻；怒之，以观其重；醉之，以观其失；纵之，以观其常；远之，以观其不二；昵之，以观其不狎。复征[③]其言，以观其精；曲[④]省其行，以观其备。此之谓观诚。

【注释】

①嬖（bì）：宠爱。

②隐约：困厄；俭约。

③征：证明。

④曲：详尽。

【译文】

富贵的人，看他是否举止有礼，乐善好施；贫穷的人，看他是否有德行操守；受宠爱的人，看他是否不骄奢；身处险境的人，看他是否不恐惧；年轻人，看他是否能恭敬好学，并且关爱长幼；壮年人，看他是否清廉务实，能否克制私欲；老年人，看他是否思维谨慎，能否即使处于尴尬之地也不逾越常规。父子之间，看他们是否慈祥、孝顺；兄弟之间，看他们是否和睦友爱；君臣之间，要看他们是否忠诚、仁惠；乡党之间，看他们是否彼此信任、诚实；让一个人施行某种谋划，是要看他是否有智慧；让一个人身临困境，用来观察他是否有勇气；派一个人去处理烦琐的事务，是要看他是否有管理能力；让一个人面对利益的考验，是要看他是否贪婪；把一个人放到纵乐的环境下，是要看他是否会迷乱。让一个人快乐，是要看他是否轻佻；惹一个人发怒，是要看他是否稳重；让一个人喝醉，是要看他是否失去恭敬的态度；放任他，是要看他能否遵从一贯的原则；疏远他，是要看他能否忠贞不贰；亲近他，是要看他是否不失礼。反复验证他的言语，是要看他是否学识精深；多方面地检查他的行为，是要看他是否德行完备。这些就叫作观诚。

芮良夫解

【原文】

以言取人，人饰其言；以行取人，人竭其行。饰言无庸[1]，竭行有成。

【注释】

①庸：功劳。

【译文】

用言谈来取人，人们就会夸饰其言谈；用行动来取人，人们就会竭尽所能。花言巧语没有什么用处，竭力行动必有所成。

国语治要

【题解】

《国语》是我国古代最早的一部国别体史书，也叫《春秋外传》，共二十一卷，约成书于战国初年。它主要记载了周穆王西征犬戎（约前965）至韩、赵、魏灭智伯（前453），总共大约五百余年的历史。全书一共包括《周语》《鲁语》《齐语》《晋语》《郑语》《楚语》《吴语》《越语》。记录了周王室与各诸侯国的历史，涉及政治、经济、军事、外交、文化，包括历史传说、各国政治制度、贵族朝聘宴飨和宗祠祭祀等。关于作者，司马迁认为是左丘明。

周语

【原文】

且[①]夫备，有未至而设[②]之，有至而后救之，是不相入[③]也。可先而不备，谓之怠；可后而先之，谓之召灾。

【注释】

①且：发语词，用于句首，与“夫”相似。且夫，表示下文是更进一步的议论。

②设：筹划。

③不相入：不能相互替代。

【译文】

凡事要做好准备工作，在意外还没发生之前就预先有所安排，在变故发生后要立刻补救，这两者不能相互替代。本来可以先预防而没有做好准备，就是懈怠；应该在事后做的事反而提前做了，就是招祸。

【原文】

夫乐不过以听耳，而美不过以观目。若听乐而震，观美而眩，患莫甚焉。夫耳目，心之枢机[①]也。故必听和而视正。听和则聪，视正则明。聪则言听，明则德昭。听言昭德，民歆[②]而德之，则归心焉。是以作无不济，求无不获，然则能乐。夫耳纳和声，而口出美言，以为宪令，而布诸民。民以心力，行之不倦，成事不贰，乐之至也。若视听不和，而有震眩，于是乎有狂悖之言，有眩惑之明，出令不信。刑政放纷，动不顺时，民无据依，不知所力，各有离心。上失其民，作则不济，求则不获，其何以能乐？

【注释】

①枢机：事物运动的关键。

②歆（xin）：欣喜。

【译文】

音乐不过是用来取悦耳朵的，美物不过是用来取悦眼睛的。如果听音乐震耳，观美物炫目，恐怕危害没有比这更大的了。耳朵和眼睛，是影响心志的关键所在。所以必须要听和谐的声音、观看正色。听和谐的声音就会耳聪，观正色就会目明。耳聪就能听到善言，眼明就能美德昭明。听善言而美德昭明，百姓就会心悦诚服，归顺于国君。因此国君做事无往不利，需求无不获得，这样就能和谐安乐。耳朵聆听和谐的声音，嘴巴说出美善的语言，以此作为宪法政令，公布于众。百姓竭尽心力，实行起来毫无倦怠，想要成就的事全无变异，这是愉悦的最高境界。如果视听不和谐，而产生震耳炫目的现象，这时，语言就会狂乱悖理，眼睛就会眩晕昏惑，这样制定的政令就不能让人信服。刑法政令放纵纷乱，所作所为不遵循时令，百姓没有依据，不知所措，便会起背离之心。国君失去百姓的拥戴，做事就不能有所成就，所求也不能获得，这样哪里还能愉悦呢？

【原文】

且民所曹好[①]，鲜其不济；其所曹恶，鲜其不废。谚曰：“众心成城。众口铄金。”

【注释】

①曹好：众人所爱好。曹，群体。

【译文】

百姓多数人所爱好的，很少有不成功的；百姓多数人所厌恶的，很少有不废弃的。谚语说：“众志成城，众口铄金。”

晋语

【原文】

成闻之，民生于三①，事之如一。父生之，师教之，君食②之。唯其所在，则致死焉，人之道也。

【注释】

①三：指君主、父母、师长。

②食：此处作动词，俸禄。

【译文】

我听说，人一生要仰赖于三位恩人，报答他们要像对待一个人一样。父母生育我们，师长教育我们，国君养活我们。只要国君、父母、师长还健在，我们就要以死相酬，这是做人之道。

【原文】

吾闻事君者，比①而不党。夫周②以举义，比也；举以其私，党也。夫军事有死无犯，犯而不隐，义也。

【注释】

①比：紧靠。

②周：忠信。

【译文】

我听说侍奉国君应该做到精诚团结，不能结党营私。对朝廷忠诚，并且以举荐恪守大义的人，就是比；利用举荐以谋求私利，就是党。军事活动有死亡的危险，绝对不可触犯，触犯了而不隐瞒，就是义。

楚语

【原文】

夫美也者，上下外内，小大远迩，皆无害焉，故曰美也。若于目观则美，财用则匮，是聚民利，以自封[1]而瘠民也，胡美之为？夫君国者，将民之与处，民实瘠，君安得肥？

【注释】

①封：丰厚。

【译文】

所谓美，就是对上对下、对外对内、对大对小、对远对近都没有伤害，所以才叫美。如果只是看起来很美，却会严重地消耗财物，这是掠夺百姓的财力来厚待自己，百姓却为此贫困，这怎么能算得上美呢？治国之君，要和百姓和谐相处，如果百姓贫穷，国君怎么会富裕呢？

韩诗外传治要

【题解】

《韩诗外传》是一部记述古代汉族史实、传闻的著作。全书共十卷，由三百六十条趣闻逸事构成。其书杂引古事古语，以诗词佐证，与经义比附，所以称为《外传》。本书作为编写体例的源头，开启了其他编纂摘录性的选集传统，如汉代《说苑》《烈女传》等。著者韩婴，汉文帝时任博士，景帝时官至常山太傅。

【原文】

原[1]天命，治心术，理好恶，适情性，而治道毕矣。原天命，则不惑祸福，不惑祸福，则动静修理[2]矣；治心术，则不妄喜怒，不妄喜怒，则赏罚不阿矣；理好恶，则不贪无用，不贪无用，则不以害物性矣；适情性，则欲不过节，欲不过节，则养性知足矣。四者不求于外，不假于人，反诸己而已！

【注释】

①原：推究。

②修理：端正谨饬。

【译文】

推究天道运行规律，修养心志，调整好恶，使情感秉性保持适度，这样修身之道就完备了。推究天道运行规律，就不会被祸福迷惑，不受祸福迷惑，一动一静就会端正谨饬；修正心志，就不会随便喜怒，不随便喜怒，赏罚就不会有偏颇；调整好恶，就不会贪图无用之物，不贪图无用之物，就不会被外物而伤害了本性。情感秉性保持适度，欲望就不会超越法度，欲望不超越法度，就能涵养心性、懂得满足。这四种修身之道，不用向身外寻求，也不必借助他人的力量，只需自我反省就可以了。

【原文】

天设其高，而日月成明。地设其厚，而山陵成居。上设其道，而百事得序。

【译文】

天空高阔，太阳、月亮才能各自显现其光明。大地浑厚，高山、丘陵安住于大地上。国君有完备的治国方针，各项事务才能被有序推行。

【原文】

智如原泉，行可以为表仪者，人师也。智可以砥砺，行可以为辅弼①者，人友也。据法守职，而不敢为非者，人吏也。当前决意，一呼再诺者，人隶也。故上主以师为佐，中主以友为佐，下主以吏为佐，危亡之主以隶为佐。欲观其亡，必由其下。故同明者相见，同听者相闻，同志者相从，非贤者莫能用贤，故辅佐左右所任使，有存亡之机、得失之要也，可无慎乎！

【注释】

①辅弼：辅佐。弼，辅。

【译文】

智慧像有源头的泉水一样永不枯竭，行为可作为众人榜样的人，是人们的老师。智慧可以雕琢人，行为可以帮助别人的人，是人们的良友。遵纪守法、恪守本职、不做非法之事的人，是人们的官长。当面迎合别人的心意，他人一召唤就连连应诺的人，是人们的奴仆。所以有道明君用人之师作辅佐，中等才德的国君用人之友作辅佐，下等的国君用人之官作辅佐，让国家陷入亡国之境的国君用人之奴辅佐。想要看一位国君是否会亡国，一定要先观察他的下属。因此眼光同样敏锐的人能相互发现，耳朵同样灵敏的人能相互倾听，志趣相投的人能彼此追随，不贤良的人就不能任用贤臣，所以国君对于辅佐大臣的委任，隐藏着国家存亡的机兆，政治得失的关键，怎么能不谨慎对待呢！

【原文】

福生于无为[①]，而患生于多欲。故知足，然后富从之；德宜君人，然后贵从之。故贵爵而贱德者，虽为天子不贵矣；贪物而不知止者，虽有天下不富矣。夫土地之生物不益，山泽之出财有尽。怀不富之心，而求不益之物；挟百倍之欲，而求有尽之财，是桀、纣之所以失其位也。

【注释】

①无为：清静虚无，顺应自然。

【译文】

福气产生于顺应自然，祸患产生于欲望过多。所以一个人首先要懂得知足，然后富裕就会到来；德行适合治理百姓，然后尊贵就会到来。所以看重爵位而轻视德行的人，即使登上天子之位也不高贵；贪求钱财而不知休止的人，即使拥有天下也不算富足。大地上生长的物品不会增加，山林水泽中出产的资材也很有限。怀着不知足的心态，去追求不能增加的东西；存着强烈百倍的欲望，去追求有限的钱财，这就是夏桀、商纣之所以丧失天子之位的原因。

【原文】

故明王之使人也，必慎其所使；既使之，任之以心，不任以辞也。

【译文】

所以圣明的国君派遣使者，必然会小心谨慎；已经选定的人，就把自己的心意而不是言辞托付给他。

【原文】

千羊之皮，不若一狐之腋；众人之唯唯，不若直士之愕愕[①]。昔者纣默默而亡，武王愕愕而昌。

【注释】

①愕愕：愕，古同“谔”，直言不讳。

【译文】

千只羊皮比不上一只狐狸腋下皮毛的价值；许多唯唯诺诺的人，比不上一位直言敢谏的士人。从前商纣王因臣子沉默不敢谏而亡国，周武王因臣子直言敢谏而让周朝兴盛。

【原文】

臣闻贵而下贱，则众弗恶也；富能分贫，则穷乏士弗恶也；智而教愚，则童蒙[①]者不恶也。

【注释】

①童蒙：幼儿对事理多暗昧，所以叫童蒙。此处泛指不通事理之人。

【译文】

我听说地位高的人如果对地位低的人谦让有礼，那么众人就不会讨厌他；有钱人能够救济穷人，那么穷人就不会讨厌他；聪明的人能够教导愚昧的人，那么愚昧的人就不会讨厌他。

【原文】

齐景公使使于楚，楚王与之上九重之台，顾使者曰：“齐亦有台若此者乎？”使者曰：“吾君有治位之堂，土阶三尺，茅茨[①]不剪，采椽不斫[②]，犹以为为之者劳，居之者泰。吾君恶[③]有若此者乎？”于是楚王惜如[④]也。

【注释】

①茅茨（cí）：茅草盖的屋顶，亦指茅屋。

②斫（zhuó）：用刀、斧等砍劈，引申为雕琢。

③恶：疑问代词，相当于“何”“安”“怎么”。

④悒如：不安的样子。

【译文】

齐景公派使者出使楚国，楚王和使者一起登上九层楼台，看着使者并说道：“齐国也有这样的楼台吗？”使者说：“我们的国君有处理政务的朝堂，堂前只有三尺高的土台阶，茅草盖的屋顶不加修剪，应该彩绘的椽子也不做雕饰，即使是这样还认为修建朝堂的人太辛苦了，而住在里面的人太安逸了。我们的国君怎么会有这样的楼台呢？”楚王听后非常抑郁不安。

孝经治要

【题解】

《孝经》是儒家十三经之一，中国古代汉族政治伦理著作，成书于秦汉之际，传为孔子后学弟子所著。全书共十八章，内容以孝为中心，集中阐释了儒家的伦理思想。它肯定孝道好像日月星辰运行于天永恒不变一样，是上天所定的规范，“夫孝，天之经也，地之义也，人之行也”。并认为孝是诸德之本，“人之行，莫大于孝”。国君可以用孝治理天下，臣民能够用孝立身行世。

【原文】

子曰：“先王有至德要道，以顺天下，民用和睦，上下无怨。汝知之乎？”曾子避席曰：“参不敏①，何足以知之？”子曰：“夫孝，德之本也，教之所由生也。复坐，吾语汝。身体发肤，受之父母，不敢毁伤，孝之始也；立身行道，扬名于后世，以显父母，孝之终也。夫孝，始于事亲，中于事君，终于立身。”

【注释】

①敏：聪明，睿达。

【译文】

孔子说：“古代的圣德贤王有其至高无上的品行，掌握精要的道理，以使天下人心归顺，人民和睦相处。人们无论是尊贵还是卑贱，都没有怨恨不满的情绪。你知道这样的至德要道是什么吗？”曾子离席站起身来向孔子恭敬回答说：“学生很鲁钝，不能知道其中的道理。”孔子说：“孝，是道德的根本，对百姓的一切教化都是从孝道中产生的。你先坐下来，我慢慢地告诉你。一个人的身体，哪怕一丝头发、一寸皮肤，都是父母赐予我们的，不敢稍有毁伤，这就是遵从孝道的开始；以德立身，实行大道，让美名传扬于世，以光耀父母，这是孝的终极目标。孝道，开始于侍奉父母双亲，进而在侍奉君主的过程中发扬光大，最终成就自己的德业。”

【原文】

因①天之道，分地之利②，谨身节用，以养父母，此庶人之孝也。故自天子至于庶人，孝无终始，而患不及③己者，未之有也。

【注释】

①因：顺应，凭依，利用。

②利：利益，此处指不同土地的特性和优势。

③及：赶上，做到。

【译文】

顺应四季变化的自然规律，充分分辨土地的好坏来获得最大的收益。行为谨慎，节省俭约，以此来赡养父母，这就是普通老百姓的孝道了。因此，上至天子，下至普通百姓，不论作为尊贵者，还是卑微者，孝道是无始无终、永恒存在的。如果有人还担心自己不能行孝，那是绝对不必要的。

【原文】

父子之道，天性也，君臣之义也。父母生之，续莫大焉[1]。君亲临之，厚莫重焉。故不爱其亲而爱他人者，谓之悖德；不敬其亲，而敬他人者，谓之悖礼。

【注释】

①续莫大焉：没有比传宗接代这件事更重大的了。续，人类的繁衍，传宗接代。焉，这件事。

【译文】

父亲与孩子间的亲情，是出于人类的本性，君主与臣属之间的义理关系也如此。父母生下子女，再传宗接代，这是孝道中最重要的了。对于子女而言，父亲既有亲情，又有君王一样威严，其施恩于子女，在人伦关系中，没有比这样的爱更厚重的了。所以那些不知敬爱自己的父母反而去敬爱别人的行为，是违背道德；不尊敬自己的父母而尊敬别人的行为，是违背礼法。

【原文】

子曰："孝子之事亲，居则致其敬，养则致其乐，病则致其忧，丧则致其哀，祭则致其严。五者备矣，然后能事亲。"

【译文】

孔子说："孝子侍奉父母，在日常起居的时候要竭尽恭敬；在饮食生活的奉养时，要保持和悦愉快的心情；父母生病，要带着忧虑的心情去细心照料；父母去世了，要竭尽悲哀之情料理后事；要严肃对待对先人的祭祀，做到礼法不乱。这五方面做得完备周到了，才真正做到了侍奉双亲。"

【原文】

昔者天子有争臣七人，虽无道，不失其天下；诸侯有争臣五人，虽无道，不失其国；大夫有争臣三人，虽无道，不失其家；士有争友，则身不离于令名；父有争子，则身不陷于不义。

【译文】

从前，天子有七位直言谏诤之臣，即使无道，也不会轻易失掉天下；诸侯有五位直言谏诤之臣，即使无道，也不会轻易失掉国土；卿大夫有三位直言谏诤之臣，即使无道，也不会轻易失掉他的家；士人如果有了诤友，就不会失掉美名；父母如果能有劝谏自己改过的子女，就不会做出不合道义的事情。

【原文】

子曰："君子之事上也，进①思尽忠，退②思补过，将顺其美，匡救其恶，故上下能相亲也。"

【注释】

①进：指在朝廷为官。

②退：指退职闲居家中。

【译文】

孔子说："君子侍奉君王，在朝廷做官的时候，要考虑如何竭尽忠心；离职居家的时候，要考虑如何纠正弥补君王的过失。对于君王的美德善政，要顺应发扬；对于君王的过失缺点，要积极补救，这样君臣之间才能够相互亲爱，紧密合作。"

论语治要

【题解】

《论语》，儒家经典著作之一，成书于春秋战国之交，由孔子弟子及其再传弟子编辑而成。全书共二十篇，四百九十二章，以语录体为主，集中体现了孔子的政治主张、伦理思想、道德观念及教育原则，孔子的政治理想核心"仁""义""礼""智""信"在《论语》中均有不同程度的彰显。《论语》与《中庸》《孟子》《大学》合称"四书"。

学而

【原文】

有子曰："君子务[1]本，本立而道生。孝悌也者，其仁之本与！"

【注释】

①务：求。

【译文】

有子（孔子的弟子有若）说："君子致力于根本的事务，根本建立了，做人的原则就有了。孝顺父母、尊敬兄长，就是仁的根本啊！"

【原文】

曾子曰："吾日三省吾身：为人谋而不忠乎？与朋友交而不信乎？传不习[1]乎？"

【注释】

①习：温习。

【译文】

曾子（孔子的弟子曾参）说："我每天都会从三个方面反省自己：为他人办事是否竭尽全力？与朋友交往是否言而有信？老师传授的学问，是否经常温习？"

【原文】

子曰："导[1]千乘之国，敬事而信，节用而爱人，使民以时。"

【注释】

①导：推行政令和教化。

【译文】

孔子说："治理一个拥有千辆兵车的大国，处理国事必须恭谨诚信，节约财物，爱护百姓。要在农闲之时使用民力。"

【原文】

子夏曰："事父母，能竭其力；事君，能致其身；与朋友交，言而有信。虽曰未学，吾必谓之学矣。"

【译文】

子夏（孔子的弟子卜商）说："侍奉父母要竭心尽力，侍奉君主要献身尽忠，与朋友交往要言而有信。这样的人即使说自己没有学问，我也会说他已经很有学问了。"

【原文】

子曰："君子不重则不威，学则不固①；主②忠信，无友不如③己者；过则勿惮改。"

【注释】

①固：蔽塞。

②主：主宰，以……为原则。

③如：似。

【译文】

孔子说："君子内心不持重，就会没有威仪，只有通过学习，与人交往时才不会产生蔽塞；凡事以忠信为准则，不要和不同道的人交朋友；有了过错不要害怕改正。"

【原文】

曾子曰："慎终追远，民德归厚。"

【译文】

曾子说："父母寿终时，能谨慎依礼办理丧事，对去世已久的祖先，能适时祭祀，这样百姓的道德就会归于淳厚了。"

为政

【原文】

子曰："为政以德，譬如北辰，居其所而众星共①之。"

【注释】

①共：通“拱”，环绕。

【译文】

孔子说：“以道德教化来治理政事，就像北极星，居于一定的位置，群星都会环绕着它运行。”

【原文】

子曰：“《诗》三百。一言以蔽之，曰：‘思无邪。’”

【译文】

孔子说：“《诗经》有三百篇，一句话概括，就是‘思想纯正无邪’。”

【原文】

哀公问曰：“何为则民服？”孔子对曰：“举直错[1]诸枉，则民服；举枉错诸直，则民不服。”

【注释】

①错：通“措”，安置。

【译文】

鲁哀公问孔子：“如何才能让百姓服从？”孔子回答说：“提拔正直无私的人，舍弃邪恶不正的人，老百姓自然会服从统治；提拔邪恶不正的人，舍弃正直无私的人，老百姓自然不会服从。”

【原文】

子曰：“人而无信，不知其可也。大车无輗[1]，小车无軏[2]，其何以行之哉？”

【注释】

①輗（ní）：古代大车车辕和横木衔接的部分。

②軏（yuè）：古代车上置于辕前端与车横木衔接处的销钉。

【译文】

孔子说：“作为一个人，如果不讲信用，我不知道他还能做什么。（这就像）车上辕端与横木衔接处如果没有了金属贯穿物，它又靠什么行走呢？”

八佾

【原文】

林放问礼之本。子曰："礼，与其奢也，宁俭；丧，与其易[1]也，宁戚。"

【注释】

①易：平和。

【译文】

林放请教孔子礼的根本。孔子说："礼，与其奢侈，不如节俭；丧葬之礼，与其失于平和，不如哀戚。"

【原文】

子曰："居上不宽，为礼不敬，临丧不哀，吾何以观之哉？"

【译文】

孔子说："处于执政地位的人，如果不能宽厚待人，行礼时不严肃，参加丧礼时不悲哀，我怎么能看得下去呢？"

里仁

【原文】

子曰："君子无终食[1]之间违仁，造次[2]必于是，颠沛必于是。"

【注释】

①终食：一顿饭的时间。

②造次：仓促。

【译文】

孔子说："君子没有哪怕一顿饭的时间是去违背仁德的，就算最紧迫的时候也一定按照仁德办事；就算在颠沛流离的时候，也必须按仁德去行事。”

【原文】

子曰：“见贤思齐焉，见不贤而内自省也。”

【译文】

孔子说：“见到贤人就应该向他学习、并向他看齐，见到不贤的人就应该自我反省，看看自己有没有和他相类似的问题。”

【原文】

子曰：“以约失之者鲜矣。”

【译文】

孔子说：“由于俭约而出现过错的人是很少的。”

【原文】

子曰：“君子欲讷于言而敏于行。”

【译文】

孔子说：“君子说话要谨慎，但行动要敏捷。”

公冶长

【原文】

子谓子产：“有君子之道四焉：其行己也恭，其事上也敬，其养民也惠，其使民也义。”

【译文】

孔子评价子产（公孙侨）说：“他具备君子的四种道德：他自己行为庄重，侍奉君主恭敬，养护百姓有恩惠，役使百姓有法度。”

述而

【原文】

子之所慎：齐[1]，战，疾。

【注释】

①齐：斋戒。

【译文】

孔子很谨慎的事有三件：斋戒、战争与疾病。

【原文】

子曰："三人行，必得我师焉。择其善者而从之，其不善者而改之。"

【译文】

孔子说："三人同行，其中必定有一位可以作我的老师。我选择那些善的品德进行学习，看到缺点就自我反省，加以改正。"

太伯

【原文】

曾子曰："士不可以不弘①毅②，任重而道远。仁以为己任，不亦重乎？死而后已，不亦远乎？"

【注释】

①弘：大。

②毅：意志坚强而能决断。

【译文】

曾子说："读书人不可不弘大刚强有毅力，因为他责任重大，所行之路非常遥远。把实现仁作为自己责任，难道责任还不重大吗？为此奋斗终身，死而后已，难道路程还不遥远吗？"

【原文】

子曰："不在其位，不谋其政。"

【译文】

孔子说："不在这个地位上，就不要管这个地位上的事情。"

【原文】

子曰："学如不及，犹恐失之。"

【译文】

孔子说："学习知识就像追赶不上，却又会担心丢掉什么似的。"

【原文】

子曰："禹，吾无间然[①]矣。菲[②]饮食而致孝乎鬼神，恶衣服而致美于黻冕[③]，卑宫室而尽力乎沟洫[④]。禹，吾无间然矣。"

【注释】

①无间然：无可非议。间，非议。

②菲：微薄。

③黻冕(fǔ miǎn)：古时天子临朝或祭祀，所穿的礼服名为黻，所戴的礼帽名为冕。

④沟洫（xù）：沟渠。

【译文】

孔子说："对于禹，我实在没有什么可挑剔的了。他自己的饮食简单，而敬献给鬼神的祭品却很丰富；他平时穿的衣服简朴无华，但临朝和祭祀的礼服却很庄严；他住的宫室低矮简陋，却致力于修治水利。对于禹我确实无法挑剔了。"

子罕

【原文】

子曰："譬如为山，未成一篑[①]，止，吾止也；譬如平地，虽覆一篑，进，吾往也。"

【注释】

①篑（kuì）：盛土的竹筐。

【译文】

孔子说："譬如用土堆山，只差一筐土就完工了，这时停下来，是因为我没有做到善始善终；又譬如在平地上堆山，虽然只倒下一筐，这时继续前进，那也是我要努力进取的。”

颜渊

【原文】

颜渊问仁。子曰：“克己复礼为仁。一日克己复礼，天下归仁焉。为仁由己，而由人乎哉？”曰：“请问其目。”子曰：“非礼勿视，非礼勿听，非礼勿言，非礼勿动。”曰：“回虽不敏，请事斯语矣。”

【译文】

颜渊（即颜回）问孔子什么是仁。孔子说：“能约束自己，使言行都合乎到礼，这就是仁。即使是一天做到了这样，天下当下就回归到仁道了。行仁全在自己，还用靠别人吗？”颜渊说：“请问具体细目？”孔子说：“不符合礼的不要看，不符合礼的不要听，不符合礼的话不说，不符合礼的念头不兴。”颜渊说：“弟子虽然愚钝，也要去奉行您的话。”

【原文】

子贡问政。子曰：“足食，足兵，民信之矣。”子贡曰：“必不得已而去，于斯三者何先？”曰：“去兵。”曰：“必不得已而去，于斯二者何先？”曰：“去食。自古皆有死，民无信不立。”

【译文】

子贡问如何治理国家。孔子说，“粮食充足，军备充足，取信于民。”子贡说：“如果不得不去掉一项，那这三项中先去掉哪一项啊？”孔子说：“去掉军备。”子贡说：“如果不得不再去掉一项，那两项中去掉哪一项啊？”孔子说：“去掉粮食。因为自古以来人都是要死的，如果老百姓对统治者不信任了，那国家就有可能不能存在。”

【原文】

哀公问于有若曰：“年饥，用不足，如之何？”对曰：“盍[1]彻[2]乎？”曰：“二[3]，吾犹不足，如之何其彻也？”对曰：“百姓足，君孰与不足？百姓不足，君孰与足？”

【注释】

①盍（hé）：为什么不。

②彻：周朝的税法，规定农民缴十分之一的税，这称为“彻”。

③二：抽取十分之二的税。

【译文】

鲁哀公问有若说：“遭了饥荒，国家用度困难，该怎么办？”有若回答说：“为什么不实行彻法，只抽十分之一的田税呢？”鲁哀公说：“现在抽十分之二的税，我尚感到不足，怎么能恢复十分之一的税制呢？”有若说：“如果百姓的用度够，您又怎么会不够？如果百姓的用度不够，您又怎么会够？”

【原文】

子曰：“听讼[1]，吾犹人。必也使无讼乎！”

【注释】

①听讼：审理案件。

【译文】

孔子说：“审理诉讼案件，我同别人是一样的。重要的是使诉讼案件根本不发生！”

【原文】

季康子患盗，问孔子。孔子对曰：“苟[1]子之不欲，虽赏之，不窃。”

【注释】

①苟：如果。

【译文】

季康子忧虑鲁国的盗窃问题，于是问孔子该如何处理。孔子回答说：“如果你不贪图财利，就算奖励偷窃也不会有人偷盗吧。”

【原文】

季康子问于孔子曰："如杀无道[1]，以就有道[2]，何如？"对曰："子为政，焉用杀？子欲善而民善矣。君子之德风也，小人之德草也。草上之风，必偃[3]。"

【注释】

①无道：指恶人。

②有道：指善人。

③偃：倒下。

【译文】

季康子向孔子讨教如何治理政事，说："如果杀掉无道的人来成全有道的人，怎么样？"孔子说："您治理政事哪里用得着杀戮这一方法啊？您只要想行善，百姓自然会跟着行善。在位者的品德就像风，老百姓的品德就像如草，风吹草动，草必定跟着风走啊。"

【原文】

樊迟问智。曰："知人。"樊迟未达。子曰："举直错诸枉，能使枉者直。"樊迟退，见子夏曰："何谓也？"子夏曰："舜有天下，选于众，举皋陶[1]，不仁者远矣；汤有天下，选于众，举伊尹，不仁者远矣。"

【注释】

①皋陶（gāo yáo）：上古传说中的人物，是政治家、思想家、教育家，被史学界和司法界公认为中国司法鼻祖。

【译文】

樊迟问孔子什么是智。孔子说："明白有关人的道理。"樊迟没有明白。孔子说："把正直的人选举出来，安置在不正直者之上，就能使不正直的人变得正直。"樊迟从孔子那里退了出来，见到子夏，说："（刚才老师的话）是什么意思呢？"子夏说："舜得到天下之后，在众人中选举，最终推举皋陶为士，不仁的人少了；汤得到天下之后，在众人中选举，最后推举伊尹为相，不仁的人就少了。"

子路

【原文】

子路问政。子曰："先之劳之。"请益[1]。曰："毋倦。"

【注释】

①益：增加，引申为进一步的意思。

【译文】

子路（即孔子的弟子仲由，字子路，又字季路）问为政之道。孔子说："自己率先以身作则，教导百姓勤勉劳作。"子路请求多讲一点。孔子说："不要厌倦。"

【原文】

子路曰："卫君[1]待子而为政，子将奚先？"子曰："必也正名乎！名不正，则言不顺；言不顺，则事不成；事不成，则礼乐不兴；礼乐不兴，则刑罚不中[2]；刑罚不中，则民无所措手足。故君子名之必可言，言之必可行也。"

【注释】

①卫君：指卫灵公的孙子卫出公，名辄。

②中：适当，恰当。

【译文】

子路对孔子说："卫国国君希望您去辅助他治国，您打算先从什么事情做起呢？"孔子说："首先一定要正名分。名分不正，说话就不合乎情理；说话不合乎情理，事情就不好办；事情做不好，礼乐也就不能昌盛；礼乐不能昌盛，刑罚就会使用不当；刑罚用之不当，百姓就不知道该怎么办。所以，君子赋予任何人和事一个名分，必须能顺理成章地说出来，能顺理成章地说出来，就一定能行得通。"

【原文】

子适卫，冉子仆。子曰："庶矣哉！"冉有曰："既庶矣，又何加焉？”曰：“富之。”曰：“既富矣，又何加焉？”曰：“教之。”

【译文】

孔子到卫国去，冉有（即孔子的弟子冉求，字子有）替他驾车。孔子说：“卫国人口众多啊！”冉有说：“都这么多人了，我们还要再做什么呢？”孔子说：“让他们富裕起来。”冉有说：“富了之后又还要做什么呢？”孔子说：“教化他们。”

【原文】

定公问：“一言而可以兴国，有诸？”孔子对曰：“言不可以若是，其几[①]也。人之言曰：‘为君难，为臣不易。’如知为君之难也，不几乎一言而兴邦乎？”曰：“一言而丧邦，有诸？”孔子对曰：“言不可以若是，其几也。人之言曰：‘予无乐乎为君，唯其言而莫予违也。’如善而莫之违也，不亦善乎，如不善而莫之违也，不几乎一言而丧邦乎？”

【注释】

①几：接近。

【译文】

鲁定公问：“一句话就可以让国家兴盛，有这种情况吗？”孔子回答说：“话虽然不能这样说，但也差不多了。有人说过：‘做国君很难，做臣子也不易。’如果国君深知为君之难，这不就是一句话几乎可以兴国了吗？”鲁定公又问：“一句话就可以亡国，有这种情况吗？”孔子回答说：“话虽不能这样说，但也差不多了。有人说过：‘我当君主没觉得有什么乐趣，唯一的乐趣，就是我的话无人敢违背。’君主的话有道理，无人敢违背，这不是很好的吗？如果所说的话没道理，而又无人敢违背，这不是一句话几乎可以亡国吗？”

【原文】

子夏为莒父[①]宰，问政。子曰：“毋欲速，毋见小利。欲速则不达，见小利则大事不成。”

【注释】

①莒（jǔ）父：鲁国的一个城邑。

【译文】

子夏做莒父的邑宰，向孔子请教如何处理政事。孔子说："不贪求速度，不图小利。求快反而达不到目的，贪求小利就办不成大事。"

【原文】

子贡问曰："乡人皆好之，何如？"子曰："未可也。""乡人皆恶之，何如？"子曰："未可也。不如乡人之善者好之，其不善者恶之。"

【译文】

子贡问孔子说："全乡人都喜欢他，这个人怎么样？"孔子说："这还不能完全肯定。"子贡又问孔子说："全乡人都厌恶，他又怎么样？"孔子说："这也是不能肯定的。因为最好的人是全乡的好人都喜欢他，全乡的坏人都讨厌他。"

【原文】

子曰："君子泰而不骄，小人骄而不泰。"

【译文】

孔子说："君子心中安稳舒泰，却不傲慢；小人举止傲慢，内心却无主宰。"

【原文】

子曰："以不教民战，是谓弃之。"

【译文】

孔子说："用没有受过教育的百姓去作战，这等于是抛弃了他们。"

宪问

【原文】

子路问事君。子曰："勿欺，而犯之。"

【译文】

子路问如何侍奉君主。孔子说："不能欺骗他，但可以犯颜谏诤。"

【原文】

子路问君子。子曰："修己以敬。"曰："如斯而已乎？"曰："修己以安百姓。修己以安百姓，尧、舜其犹病①诸？"

【注释】

①病：难。

【译文】

子路问怎样才算是君子。孔子说："修养自己，恭敬待人。"子路说："这样就足够了吗？"孔子说："修养自己，还要让百姓安乐。修养自己让所有百姓都安乐，恐怕尧、舜那样的圣君都难以做到吧？"

卫灵公

【原文】

子张问行。子曰："言忠信，行笃敬，虽蛮貊①之邦，行矣。言不忠信，行不笃敬，虽州里②，行乎哉？"子张书诸绅③。

【注释】

①蛮貊（mò）：古代南方和北方落后部族。

②州里：古代二千五百家为州，二十五家为里。本为行政建制，后泛指乡里或本土。

③绅：古人用大带束腰后，垂下的带头部分。

【译文】

子张问孔子怎样才能使自己到处都能行得通。孔子说："说话要忠诚有信，行事要笃实恭敬，就算到了蛮貊地区，也可以行得通。说话不忠诚有信，行事不笃实恭敬，就算在本乡本土，也行不通。"子张把这些话写在腰间的大带上（以示不忘，时时谨遵实行）。

【原文】

子曰："人而无远虑，必有近忧。"

【译文】

孔子说："一个人如果没有长远的考虑，就一定逃不了眼前的忧患。"

【原文】

子曰："君子求①诸己，小人求诸人。"

【注释】

①求：询问，责问。

【译文】

孔子说："君子事事都从自己身上找原因，小人事事都从别人身上找原因。"

【原文】

子贡问曰："有一言而可终身行者乎？"子曰："其'恕'乎！己所不欲，勿施于人。"

【译文】

子贡问孔子说："有没有一个字可以终身奉行呢？"孔子说："那就是'恕'吧！自己不想做的事，不要施加在别人身上。"

【原文】

子曰："巧言乱德；小不忍，乱大谋。"

【译文】

孔子说："花言巧语败坏人的品德，小事不忍，就会扰乱大事。"

【原文】

子曰："众恶之，必察焉；众好之，必察焉。"

【译文】

孔子说："大家都厌恶一个人，我必须去考察他；大家都喜欢一个人，我也必须要考察他。"

季氏

【原文】

季氏将伐颛臾①。冉有、季路见于孔子，孔子曰："求！无乃尔是过与？”冉有曰：“夫子欲之，吾二臣者皆不欲也。”孔子曰：“求！周任有言曰：‘陈力就列，不能者止。’危而不持，颠而不扶，则将焉用彼相矣？且尔言过矣。虎兕②出于柙③，龟玉④毁于椟中，是谁之过与？”冉有曰：“今夫颛臾，固而近于费⑤。今不取，后世必为子孙忧。”孔子曰：“求！君子疾夫舍曰‘欲之’而必为之辞。丘也闻，有国有家者，不患寡而患不均，不患贫而患不安。盖均无贫，和无寡，安无倾。夫如是，故远人不服，则修文德以来之。既来之，则安之。今由与求也，相夫子，远人不服而不能来也，邦分崩离析而不能守也，而谋动干戈于邦内。吾恐季孙之忧，不在颛臾，而在萧墙⑥之内也。”

【注释】

①颛臾（zhuān yú）：春秋时鲁国境内的一个附庸小国，今山东省费县西部。

②虎兕（sì）：虎与犀牛，比喻凶恶残暴的人。

③柙（xiá）：关闭猛兽的笼槛。

④龟玉：龟甲和宝玉，古代认为是国家的重器。

⑤费：季氏的采邑。

⑥萧墙：古代宫室内作为屏障的矮墙。

【译文】

季氏将要讨伐颛臾。冉有、子路拜见孔子，孔子说：“冉求，这难道不是你的过失吗？颛臾以前是周天子让它主持东蒙的祭祀的，而且他已经地处鲁国的疆域之内，是国家的臣属，为什么要讨伐它呢？”冉有说：“季孙大夫想要这样做，我们两个人都不愿意。”孔子说：“冉求，周任有句话说：‘尽自己的力量去胜任你的职务，实在不能胜任就辞职。’如果有了危险却不去扶持，跌倒了也不去搀扶，那何必用辅佐的人呢？况且你说的话错了。老虎、犀牛从笼子里跑出来，龟甲、玉器在匣子里毁坏，这到底是谁的过错呢？”冉有说：“如今颛臾城墙坚固，又靠近费邑。现在如果不把它夺取过来，将来一定会成为子孙的忧患。”孔子说：“冉求，君子厌恶那些不肯说自己想要那样做却又一定要找借口来辩解的做法。我听说，对于诸侯和大夫，不怕贫穷，而怕财富分配不均；不怕人口少，而怕社会不安定。由于财富分配均匀了，也就没有所谓贫穷；大家都和睦，也就不会感到人少；社会安定了，国家就没有被倾覆的危险。因为这样，所以如果远方的人还不归服，就用仁、义、礼、乐来使他们归服；已经来归服，就让他们安心住下去。如今，仲由和冉求你们两个人辅助季氏，远方的人不归服，你们不能让他们归顺；国内民心离散，你们也不能使他们人心归一，反而策划在国内使用武力。我只怕季孙的忧患不在颛臾，而是在鲁国的内部呢！”

【原文】

孔子曰：“益者三友，损者三友。友直，友谅，友多闻，益矣；友便辟①，友善柔，友便佞②，损矣。”

【注释】

①便辟：指避开别人所顾忌的事，以求谄媚他。便，善辩。辟，同“僻”，邪僻，又指“避开”。

②便佞：指花言巧语逢迎人。

【译文】

孔子说：“有益的朋友有三种，有害的朋友也有三种。和正直的人交友，和诚信的人交友，和见闻广博的人交友，这是有益的。和惯于走邪道的人交朋友，和善于阿谀奉承的人交朋友，和惯于花言巧语的人交朋友，这是有害的。”

【原文】

孔子曰：“益者三乐，损者三乐。乐节①礼乐，乐道人之善，乐多贤友，益矣；乐骄乐，乐佚游，乐宴乐，损矣。”

【注释】

①节：法度，这里是符合的意思。

【译文】

孔子说：“有益的喜好有三种，有害的喜好有三种。把礼乐节制自己作为喜好，把称道别人的好处作为喜好，把结交很多贤德之友作为喜好，这是有益的；喜好骄傲，喜欢闲游，喜欢宴饮取乐，这是有害的。”

【原文】

孔子曰：“侍于君子有三愆[①]：言未及之而言，谓之躁；言及之而不言，谓之隐；未见颜色而言，谓之瞽[②]。”

【注释】

①愆（qiān）：过失。

②瞽（gǔ）：盲人。

【译文】

孔子说：“侍奉君子要注意避免犯三种错误：话未到当说时而说，这叫心浮气躁；话当说时不说，这叫隐瞒；不看君子的脸色而贸然说话，这叫盲人。”

【原文】

孔子曰：“君子有三戒：少之时，血气未定，戒之在色；及其壮也，血气方刚，戒之在斗；及其老也，血气既衰，戒之在得[①]。”

【注释】

①得：贪求。

【译文】

孔子说：“君子要戒三件事：年少时，血气未成熟，要戒女色；到了身体强壮的时候，血气方刚，要戒与人争斗；等到老年，血气衰弱，要戒贪得无厌。”

【原文】

孔子曰：“君子有三畏：畏天命，畏大人，畏圣人之言。小人不知天命而不畏，狎大人，侮圣人之言。”

【译文】

孔子说：“君子要敬畏三件事：敬畏天命，敬畏地位高贵的人，敬畏圣人的话。小人不懂天命，因而也不知道敬畏天命，不尊重地位高贵的人，经常辱没圣人的言论。”

【原文】

孔子曰："君子有九思[1]：视思明，听思聪，色思温，貌思恭，言思忠，事思敬，疑思问，忿思难，见得思义。"

【注释】

①思：思虑，特别注意。

【译文】

孔子说："君子需要思考九件事：眼睛要会看，耳朵要会听，神色要温和安详，行为举止要谦恭有礼，说话要忠实守信，做事要尽心尽力，疑难之处要多提问，愤怒难遏时，要想到后果，面对利益得失时，要想到是否符合道义。"

【原文】

齐景公有马千驷[1]，死之日，民无得而称焉。伯夷、叔齐饿于首阳之下，民到于今称之，其斯之谓与！

【注释】

①千驷：四千匹马，言马多。

【译文】

齐景公有四千匹马，死的那天，百姓们觉得他没有什么德行值得称颂。伯夷、叔齐在首阳山下挨饿，直到现在百姓们还在称颂他们。说的就是这个意思吧。

阳货

【原文】

子张问仁于孔子。孔子曰："能行五者于天下，为仁矣。"请问之。曰："恭、宽、信、敏、惠。恭则不侮，宽则得众，信则人任焉，敏则有功，惠则足以使人。"

【译文】

子张问孔子什么是仁。孔子说："能处处践行五种品德，就是仁人了。”子张请教是哪五件事。孔子说：“庄重、宽厚、诚信、勤奋、慈惠。庄重就不会遭到侮辱，宽厚就会得到他人的拥护，诚信就能得到任用，勤奋就会提高工作效率，慈惠就能使用人。”

微子

【原文】

柳下惠为士师[1]，三黜。人曰：“子未可以去乎？”曰：“直道而事人，焉往而不三黜？枉道而事人，何必去父母之邦？”

【注释】

①士师：典狱官。

【译文】

柳下惠做鲁国的典狱官，无罪而三度被黜退。有人说：“你难道不能离开鲁国吗？”柳下惠说：“我按正道侍奉人，到哪里不会被多次罢免呢？如果不按正道侍奉人，又为什么一定要离开本国呢？”

【原文】

周公谓鲁公曰：“君子不施其亲。不使大臣怨乎不以。故旧无大故，则不弃也。无求备于一人！”

【译文】

周公对鲁公（即周公的儿子伯禽）说：“君子不疏离他的亲属，不会让大臣们抱怨不任用他们。旧友老臣没有大的过失，就不要抛弃他们，不要对人求全责备。”

子张

【原文】

孟氏使阳肤为士师，问于曾子。曾子曰：“上失其道，民散久矣。如得其情，则哀矜而勿喜！”

【译文】

孟孙氏任命阳肤为典狱官。阳肤为此请示老师曾子。曾子说："在上位的人已经丧失为政之道，民心离散已久。你若了解到民众犯罪的实际情况，就要为犯人悲伤怜悯，不能因断案成功而欢喜。"

【原文】

子贡曰："纣之不善也，不如是之甚也。是以君子恶居下流，天下之恶皆归焉。"

【译文】

子贡说："纣王的罪恶，应该不至于那么过分。所以君子羞耻于居下流，一居于下流，就要像纣王那样，天下的罪恶都被归到他一个人身上了。"

【原文】

子贡曰："君子之过也，如日月之食焉：过也，人皆见之；更也，人皆仰之。"

【译文】

子贡说："君子的过错好比日食月食。他犯的错，大家都能看见；他改正过错，人们都仰望他。"

尧曰

【原文】

子张问政于孔子曰："何如斯可以从政矣？"子曰："尊五美，屏四恶，斯可以从政矣。"子张曰："何谓五美？"子曰："君子惠而不费，劳而不怨，欲而不贪，泰而不骄，威而不猛。"子张曰："何谓惠而不费？"子曰："因人所利而利之，斯不亦惠而不费乎？择可劳而劳之，又谁怨？欲仁而得仁，又焉贪？君子无众寡，无小大，无敢慢，斯不亦泰而不骄乎？君子正其衣冠，尊其瞻视，俨然人望而畏之，斯不亦威而不猛乎？"子张曰："何谓四恶？"子曰："不教而杀谓之虐；不戒视成谓之暴；慢令致期谓之贼；犹之与人也，出纳之吝谓之有司。”

【译文】

子张问孔子说：“怎样才可以从事政治呢？”孔子说：“尊重五种美德，排除四种恶政，就可以从政了。”子张问：“哪五种美德？”孔子说：“君子要给百姓以恩惠而自己不浪费，让百姓劳作但不使他们怨恨，追求仁德而不贪图财利，安详坦然而不傲慢，威严而不凶狠。”子张说：“什么是要给百姓以恩惠而自己却不浪费呢？”孔子说：“让百姓们做对他们有利的事，这不就是惠民而不耗费财力吗？选择可以让百姓劳作的时间和事情让百姓去做，又有谁会怨恨呢？自己要追求仁德便得到了仁，还有什么可贪婪的呢？君子不分人多人少，事大事小，都不敢怠慢，这不就是安详坦然而不傲慢吗？君子端正衣冠、目不斜视，让人见了就生敬畏之心，这不就是威严而不凶猛吗？”子张问：“那什么是四种恶政呢？”孔子说：“没有经过教育，犯了错就杀戮，叫作虐；没有经过告诫，便要求成功，叫作暴；不去监督他，却要求限期完成，叫作贼；给人财物，却出手吝啬，这就叫酷吏作风。”

孔子家语治要

【题解】

《孔子家语》，又名《孔氏家语》，或简称《家语》，是一部记录孔子及其弟子言行的著作。三国曹魏时王肃注，最早著录于《汉书·艺文志》。原书二十七卷，今本为十卷，共四十四篇。《孔子家语》对于全面研究和准确把握早期儒学更有价值，从这个意义上，该书完全可以当得上“儒学第一书”的地位。

王言

【原文】

曾子曰："敢问何谓七教？"孔子曰："上敬老则下益[1]孝，上尊齿则下益悌，上乐施则下益宽，上亲贤则下择友，上好德则下无隐，上恶贪则下耻争，上廉让则下知节。此之谓七教也。七教者，治民之本也。政教定，则本正矣。凡上者，民之表也，表正则何物不正！"

【注释】

①益：更加。

【译文】

曾子问："请问什么是'七教'？"孔子说："在上位的人孝敬父母尊敬长辈，下面的人就会愈加恪守孝道；在上位的人尊敬同辈中的年长者，下面的人就会更加愈加悌恭；在上位的人乐善好施，下面的人也会愈加宽厚仁慈；在上位的人亲近贤德的人，下面的人就知道结交益友；在上位的人注重品德修养，下面的人就不会私下为非作歹；在上位的人厌恶贪婪的行为，下面的人就会以争名夺利为耻；在上位的人廉洁谦让，下面的人就会节俭而讲礼节。这就是所谓的七种教化。这七种教化，是安民的根本。政治教化的原则确定了，国家根本就得到端正了。凡是在上位的人，都是民众的榜样，榜样端正，还有什么人能不正直呢？"

【原文】

曾子曰："敢问何谓三至？"孔子曰："至礼[1]不让而天下治，至赏不费而天下之士悦，至乐无声而天下之民和。明王笃行三至，故天下之君可得而知也，天下之士可得而臣也，天下之民可得而用也。"曾子曰："敢问此义何谓也。"孔子曰："古者明王必尽知天下良士之名。既知其名，又知其实。既知其实，然后因天下之爵以尊之，此之谓至礼不让而天下治；因天下之禄，以富天下之士，此之谓至赏不费而天下之士悦。如此，则天下之明誉[②]兴焉，此之谓至乐无声而天下之民和。故曰：所谓天下之至仁者，能合天下之至亲者也；所谓天下之至智者，能用天下之至和；所谓天下之至明者，能举天下之至贤。”

【注释】

①至礼：达到最高境界的礼。

②明誉：好名声。

【译文】

曾子说：“请问什么是‘三至’呢？”孔子说：“最高境界的礼是不需要谦让就能把天下治理得井井有条；最高境界的奖励是不需要耗费过多财物，就能使天下的士人心中喜悦；最高境界的音乐是不发出鼓乐之声，就能使天下百姓都心境祥和。圣明的君王踏实笃行这三种至高境界，那么天下的诸侯国王就会知道他的圣明，天下的贤士就可以做他的臣子，天下的百姓就可为他所用。”曾子说：“请问具体含义是什么呢？”孔子说：“古代圣明的君王一定了解天下所有贤德之士的名声。了解他们的名声，再了解他们的德行。对他们的真实德行都了若指掌，然后就用享誉天下的爵位来封赏他们，让他们获得尊贵的地位，这就是礼的最高境界；不需要相互谦让就能使天下大治，把官位俸禄都留给真正的贤德之士，使他们都能因贤德而成为富有的人，这就是奖赏的最高境界；不需要耗费多余财物，就能使天下的士人喜悦。这样，百姓对美好德行的赞誉就会兴起，而百姓发自内心的赞美，就是音乐的最高境界，不需要发出宫商之音，就能使天下百姓心境祥和。所以说，所谓天下最仁德的人，就是能让天下团结如一家那样亲密无间的人；所谓天下最有智慧的人，就是能使天下高度和谐的人；所谓天下最圣明的人，就是能为天下举荐贤德之士的人。”

大婚

【原文】

昔三代明王之必敬妻子也，盖有道焉。妻也者，亲之主也；子也者，亲之后也，敢不敬与？是故君子无不敬也。敬也者，敬身为大；身也者，亲之支也，敢不敬与？不敬其身，是伤其亲；伤其亲，是伤其本也；伤其本，则支从而亡。

【译文】

从前，夏、商、周三代的贤明君王必定恭敬自己的妻儿，这里面的道理很大啊。作为妻子，侍奉父母长辈、祭祀祖先要以她为主；而孩子，是宗族的后代，怎么敢不恭敬地对待呢？因此圣明的君王没有他不恭敬的人、事、物。所谓恭敬，以恭敬之心对待自己最为重要；我们的身体就如同父母的四肢，怎么敢不恭敬呢？不懂得恭敬自己的身体，就是伤害自己的父母；伤害父母，就是伤害自己的根本；伤害了根本，就如同树伤了树根，枝干也就会随着枯死了。

【原文】

为政而不能爱人，则不能成其身；不能成其身，则不能安其土；不能安其土，则不能乐天；不能乐天，则不能成身。

【译文】

治理国家而不能爱护百姓，就不能成就自己；不能成就自己，就不能安定国家；不能安定国家，就不能乐行自然之道。不能乐行自然之道，就不能成就自己。

问礼

【原文】

孔子曰："丘闻之，民之所以生者，礼为大。非礼则无以节事[1]天地之神焉，非礼则无以辨君臣、上下、长幼之位焉，非礼则无以别男女、父子、兄弟、婚姻、亲族疏数之交焉。"

【注释】

①节事：节制行事，使合乎准则。

【译文】

孔子说："我听说，百姓之所以能够正常生活，礼是最大的保障。没有礼就无法按照合乎准则的方式来祭祀天地神灵；没有礼就无法明晰君臣、上下、长幼的秩序；没有礼就无法区分男女、父子、兄弟、婚姻、亲族之间的亲疏关系。"

五仪

【原文】

人有五仪[①]：有庸人，有士人，有君子，有贤，有圣。审此五者，则治道毕矣。

所谓庸人者，心不存慎终之规，口不吐训格之言。不择贤以托其身，不力行以自定。见小暗[②]大，而不知所务[③]，从物如流，而不知所执。此则庸人也。

所谓士人者，心有所定，计有所守，虽不能尽道术之本，必有率也；虽不能备百善之美，必有处也。是故智不务多，务审其所知；言不务多，务审其所谓；行不务多，务审其所由。智既知之，言既得之，行既由之，则若性命形骸之不可易也。富贵不足以益，贫贱不足以损，此则士人也。

所谓君子者，言必忠信，而心不怨；仁义在身，而色不伐；思虑通明，而辞不专；笃行信道，自强不息；油然若将可越，而终不可及者，此君子也。

所谓贤者，德不逾闲[④]，行中规绳；言足法于天下而不伤于身，道足化于百姓而不伤于本。富则天下无宛财，施则天下不病贫。此贤者也。

所谓圣者，德合天地，变通无方，穷万事之终始，协庶品[⑤]之自然，敷[⑥]其大道，而遂成情性，明并日月，化行若神，下民不知其德，睹者不识其邻，此圣者也。

【注释】

①五仪：五等。

②暗：愚昧。

③务：致力。

④逾闲：超越法度、界限。

⑤庶品：万物。

⑥敷：传布，散布。

【译文】

人可以分为五类：有庸人，有士人，有君子，有贤人，有圣人。明白清楚这五类人，那么治国之道就具备了。

所谓庸人，就是心中没有善始善终的准则，口中也不提伦理道德的言辞。不选择贤德之人来作为人生的寄托，也不践行伦理道德以成就自己。小事聪明，大事糊涂，不知道该做什么，随波逐流，毫无主见。这就是庸人。

所谓士人，就是心中有明确的想法和主张，为人处世有计划和规矩，虽然不能穷尽道德学问的根本，但一定能够遵守与践行；虽然不能把事情做到尽善尽美，但一定会按道理把事情做好。因此，智慧不在于多，而在于能够判断自己所学的东西；言谈不在于多，而在于能否得当并抓得住要点；做事不在于多，而在于清楚为什么去做。智慧能够判断所学是否正确，言谈之要也就得到了，做事的缘由也就清楚了，那么他的性格就养成了，就像人的性命、身体一样不会改变了。富贵不能使他骄慢，贫贱也不能让他哀戚，这就是士人。

所谓君子，他们说话必定忠诚守信，内心也没有抱怨；躬行仁义，而不自我夸耀；考虑问题通达晓畅，而言语不会武断；德行笃实，言行符合圣贤之道，自强不息；从容自在，好像人人都可以超越他，却始终难以追上，这就是君子。

所谓贤人，他们有德行，而不超越法度，言行皆有规矩准绳；他们的言语可为天下人效法，却不会因犯口过而伤及自身；他们所弘扬的圣贤之道足以教化百姓，而不会失信于民，伤及根本。富有而不会使天下人积财伤道，施与大众而使天下人都不会贫病交加。这就是贤人。

所谓圣人，他的德性能与天地相配，随顺时机变通无碍，而不执于己见；通达万事万物的规律，使它们能自然和谐地运转；发扬天地大道来成就人们的性情。他的德行可与日月同辉，教化的行迹神奇，无法揣测；百姓虽沐浴在其德行中却浑然不知，有人能看到他的德行流布却无法测量它的边际。这就是圣人。

【原文】

夫君者，舟也；民者，水也。水所以载舟，亦所以覆舟。君以此思危，则危可知矣。

【译文】

国君是船；百姓就像水。水可以载船，也可以使船沉没。国君从这一点去思量危险，就能知道危险是什么了。

【原文】

哀公问于孔子曰："请问取人之法？"孔子对曰："事任之官。无取捷捷[①]，无取钳钳[②]，无取哼哼[③]。捷捷，贪也；钳钳，乱也；哼哼，诞也。"

【注释】

①捷捷：贪得无厌。

②钳钳（qián）：待人及言语不真诚、不谨慎。

③哼哼（zhūn）：多言貌。

【译文】

哀公问孔子说："请问用什么方法去选用人才呢？"孔子回答说："根据各人所能胜任的事情授予官职。不要任用贪得无厌的人，不要任用随便应对的人，也不要任用说话滔滔不绝的人。捷捷，就是贪婪；钳钳，就是乱说话、乱做事；哼哼，就是言语夸诞，信口开河。"

三恕

【原文】

子曰："聪明睿智，守之以愚[1]；功被[2]天下，守之以让；勇力振世，守之以怯；富有四海，守之以谦。此所谓损[3]之又损之之道也。"

【注释】

①愚：敦厚。

②被：覆盖；遍布。

③损：减少。形容极为谦虚。

【译文】

孔子说："聪明睿智，而又能保持敦厚若愚的态度；功盖天下，而又能保持谦让不争的态度；勇力绝世，而又能保持小心谨慎的态度；富甲四方，而又能保持谦虚恭敬的态度。这就是古人所说的'损之又损'的道理啊！"

观周

【原文】

夫明镜者，所以察形；往古者，所以知今。人主不务袭迹于其所以安存，而忽怠于所以危亡，是犹未有以异于却步，而欲求及前人也，岂非惑哉？

【译文】

明镜是用来观察人的形象的；历史是用来看清现实的。如果君王既不努力追寻古代圣王安邦定国的方法，又忽视国家之所以危亡的原因，这就像往后退步，却期望能赶上前面的行人，难道不是非常糊涂的想法吗？

【原文】

古之慎言人也。戒之哉！无多言，多言多败；无多事，多事多患；安乐必诫，无行所悔。勿谓何伤，其祸将长；勿谓何害，其祸将大；勿谓不闻，神将伺[①]人。焰焰[②]不灭，炎炎[③]若何；涓涓不壅[④]，终为江河。绵绵不绝，或成网罗；豪末[⑤]不扎，将寻斧柯。诚能慎之，福之根也；口是何伤，祸之门也。强梁者[⑥]不得其死，好胜者必遇其敌。盗憎主人，民恶其上。君子知天下之不可上也，故下之；知众人之不可先也，故后之。温恭慎德，使人慕之；执雌[⑦]持下，人莫逾之。人皆趣彼，我独守此；人皆惑惑，我独不徙。内藏我智，不示人技，我虽尊高，人弗我害。唯能于此，天道无亲，常与善人。戒之哉！戒之哉！

【注释】

①伺：观察，守候。

②焰焰：火苗初起。

③炎炎：火势旺盛。

④壅（yōng）：堵塞。

⑤豪末：毫毛的末端，喻指细微之物。豪，通“毫”。

⑥强梁者：性情残暴、欺凌弱小的人。

⑦雌：比喻柔弱。

【译文】

古代说话小心谨慎的人，早有警戒的话：不要多说话，多言就会多败；不要多事，多事就会多祸患；安乐的时候必须警醒持诫，不要做后悔的事。不要认为这没什么伤害，要知道它的祸患会无穷无尽；不要认为这没有什么害处，要知道它的隐患会越来越大；不要认为没人会知道，神明随时都在暗中注视。火苗刚起时如果不扑灭，就会发展到火势旺盛，让人无可奈何；涓涓细流如果不及时堵塞，最终将汇成大江大河。丝线细微时如果不切断，就可能被织成巨大的网罗。小树苗如果不及时拔掉，将来就只能用斧头来砍了。假如从开始就小心谨慎，便是求福的根本；多言的损害，正是灾祸的门径。恃强凌弱的人不得善终，争强好胜的人必逢劲敌。如同盗贼不喜欢碰到主人，百姓总是讨厌高高在上的人。君子深知天下之大、不可居其上的道理，所以屈己尊人；深知众人之多，不可为其先，所以甘心为后。温良恭敬、慎行检德，会使人仰慕；能以柔弱示人，甘居下位，谁都无法超越。人人都追求浮华之事，我却独守此道；人人都东奔西走，我却坚定不移。内心藏着智慧，却不将才华显露在人前，即使身处尊位，也不会有人伤害我。就是因为我做到了上面这些。上天对人没有亲疏之分，它总是眷顾善良的人。切记！切记！

贤君

【原文】

孔子曰："昔夏桀贵为天子，富有四海，忘其圣祖之道，坏其典法，绝其世祀，荒乎淫乐，沉湎于酒，佞臣谄谀，窥导其心，忠士钳口，逃罪不言，天下诛桀而有其国，此之谓忘其身之甚者也。"

【译文】

孔子说："从前夏桀贵为天子，富有四海，却忘了圣明先祖的治国之道，败坏了先祖的典章制度，断绝了对先祖的祭祀，荒于政事，嬉闹淫乐，沉湎酒色，奸佞小人阿谀奉承，察言观色以诱导他的心志，忠诚的人不敢说话，为了逃避责罚而不敢谏言，天下群起而诛灭了夏桀，并占有了他的国家，这就是最能代表忘记自身的人。"

【原文】

爱人者则人爱之，恶人者则人恶之；知得之己者，则知得之人。所谓不出环堵之室①而知天下者，知反己之谓也。

【注释】

①环堵之室：四面土墙，形容居处简陋贫寒。

【译文】

爱别人的人，别人也爱他，厌恶别人的人，别人也厌恶他；知道自己需要什么的人，也就知道别人需要什么。所谓不用走出陋室就知道天下的人，是懂得推己及人。

辨政

【原文】

子贡为信阳宰，将行。孔子曰：“勤之慎之，奉天之时，无夺无伐，无暴无盗。”子贡曰：“赐也，少而事君子，岂以盗为累哉？”孔子曰：“而未之详也。夫以贤代贤，是之谓夺；以不肖代贤，是之谓伐；缓令急诛，是之谓暴；取善自与，是之谓盗。盗，非窃财之谓也。吾闻之，知为吏者，善法以利民；不知为吏者，枉法以侵民。此怨所由生也。匿人之善，斯谓蔽贤；扬人之恶，斯谓小人。内不相训而相谤，非亲睦也。言人之善，若己有之；言人之恶，若己受之。故君子无所不慎焉。”

【译文】

子贡当了信阳的地方官，即将赴任。孔子说：“（你上任后）要勤勉谨慎，奉行天时，不要争夺和损害，也不要暴虐和盗窃。”子贡说：“弟子从小就侍奉有德行的君子，难道还会因盗窃而受到牵累吗？”孔子说：“你还没有懂得其中的深意啊。用贤才取代贤才，就是争夺；用小人取代贤才，就是侵害；政令发布得迟缓而惩罚却迅疾严厉，就是暴虐；取得政绩归功于政绩，就是盗窃。我所说的盗窃并非只是偷窃他人财物。我听说懂得为官之道的人，奉行法纪来为民谋求福利；不懂为官之道的人，就会违法乱纪损害百姓利益。民怨就会这样产生。隐匿他人的善事，就是蔽贤；传扬他人的恶事，就是小人。私下里不相互告诫，却在外面相互诽谤，这就不是亲善和睦。要做到说起别人的善事，就好像自己也有这样的善行似的欢喜；说到别人的恶事，就像是听到别人说自己的坏话一样羞愧。所以君子对任何事都要小心谨慎啊。”

六本

【原文】

孔子曰：“行己有六本焉，然后为君子。立身有义矣，而孝为本；丧纪有礼矣，而哀为本；战阵有列矣，而勇为本；治政有埋矣，而农为本；居国有道矣，而嗣为本；生财有时矣，而力为本。置本不固，无务丰末；亲戚不悦，无务外交；事不终始，无务多业。反本修迹，君子之道也。”

【译文】

孔子说：“立身行事能把握住六个根本，然后才能成为君子。立身要有仁义，以孝为根本；丧事要有礼仪，以哀为根本；交战时排兵布阵，以勇为根本；处理政事有规律，以农业为根本；治理国家有方法，以选好继承者为根本；增加财富有时机，以勤劳为根本。根本如果不稳固，就不要专心于枝节的完美；亲戚族人都不能和谐相处，就不要追求与外人交往；连一件事情都不能有始有终地做完，就不要想着从事更多的事。回归根本，从近处做起，这才是君子之道。”

【原文】

夫学者损其自多，以虚受之。天道成而必变，凡持满而能久者，未尝有也。故曰：自贤者，则天下之善言，不得闻其耳矣。

【译文】

为学应该不断减少欲望、成见和妄念，永远以冲虚的心去包容万物。自然的规律是：万事万物一旦达到极致就要向相反的方向转变。因此，凡抱持自满态度而能长久的人，是从来没有过的。所以说，自认为贤明的人，天底下的善言，他都听不到了。

【原文】

孔子曰："以富贵而下人，何人不与？以富贵而爱人，何人不亲？发言不逆，可谓知言矣。"

【译文】

孔子说："处于富贵的境地还能甘居人后，这样的人谁不称赞呢？处在富贵的境地还能关爱他人，谁不愿意与他亲近呢？不说违背常理的话，就是会说话的人了。"

【原文】

不知其子，视其父；不知其人，视其友；不知其君，视其所使。故曰：与善人居，如入芝兰之室，久而不闻其香，即与之化矣；与不善人居，如入鲍鱼之肆，久而不闻其臭，亦与之化矣。是以君子必慎其所与者焉。

【译文】

不了解儿子，就去看他的父亲；不了解一个人，就去看他所交的朋友；不了解国君，就去看他所任用的臣子。所以说：同善良在一起相处，好像进入种着芝兰的房子，时间久了就闻不到香味了，那是因为已经被同化了；和不善良的人一起相处，好像进入了卖鲍鱼的铺子，时间久了就闻不到鲍鱼的臭味了，同样也是因为被同化了。因此，君子一定要谨慎选择与自己交往的对象啊。

哀公问政

【原文】

凡为天下国家者，有九经焉：曰修身也、尊贤也、亲亲也、敬大臣也、体群臣也、子庶人也、来百工也、柔远人也、怀诸侯也。修身则道立，尊贤则不惑，亲亲则诸父昆弟不怨，敬大臣则不眩，体群臣则士之报礼重，子庶民则百姓劝，来百工则财用足，柔远人则四方归之，怀诸侯则天下畏之。

【译文】

凡治理天下国家必须遵循九条准则，即修养身心，尊敬贤德之人，对亲人关爱，敬重大臣，体恤百官，爱民如子，招募能工巧匠，关怀边远地区的百姓，安抚诸侯国。修养身心，道德就会屹立不动；敬重贤德之人，遇事不会困惑；关爱亲人，父子兄弟乃至亲族之间就没有抱怨；敬重大臣，处理政事就不会犯糊涂；体恤百官，他们就会以更加勤勉作为回报；爱民如子，百姓就会受到鼓舞；招募能工巧匠，就会财用充足；关怀边远地区的百姓，四方的百姓就会前来归顺；安抚各诸侯国，就会让天下人心生敬畏。

【原文】

凡事豫则立，不豫则废。言前定则不跲①，事前定则不困，行前定则不疚，道前定则不穷。

【注释】

①跲（jiá）：窒碍。

【译文】

凡事能做好充分的准备工作，就会取得成功；没有准备工作就去盲目地付诸实施，必然会导致失败。说话之前先定下心来，就不会理屈词穷，有所窒碍。做事之前先沉下来，就不会临事慌乱；行动之前先做好准备，就不会出现差错。一个人立身处世要先了解做人的道理，就会一往无前。

【原文】

孔子曰："立爱自亲始，教民睦也；立敬自长始，教民顺也。教以慈睦，而民贵有亲；教以敬长，而民贵用命。民既孝于亲，又顺以听命，措诸天下，无所不行。"

【译文】

孔子说："培养仁爱心要从孝亲开始，这样可以教化百姓和睦互处；培养恭敬心要从尊敬长辈开始，这样可以教化百姓恭顺。用仁爱、和睦来教化，百姓就会尊崇孝悌；用尊敬长辈与上级来教化，百姓就会服从政令。百姓既孝顺亲人，又能恭顺服从政令，政令施行就会通行天下，无所阻碍。”

颜回

【原文】

颜回曰：“臣闻之：‘鸟穷则噣[1]，兽穷则攫，人穷则诈，马穷则逸。’自古及今，未有穷其下而能无危者也。”公悦。

【注释】

①噣：古同“啄”。

【译文】

颜回说：“臣听说：‘鸟处于困境就会用嘴啄人，野兽处于困境就会拼命挣扎，人处于困境就会心生欺诈，马处于困境就会逃跑。’从古到今，没有让其下属走投无路而自己却能毫无危险的人。”定公听了心悦诚服。

执辔

【原文】

善御民者，一其德法，正其百官，均齐民力，和安民心，故令不再而民顺从，刑不用而天下化治。是以天地德之，而兆民怀之。不能御民者，弃其德法，专用刑辟，譬犹御马，弃其衔勒[1]，而专用箠策[2]，其不可制也必矣。

【注释】

①衔勒：马嚼口和马络头。

②箠（chuí）策：鞭子。

【译文】

善于统御百姓的国君，会统一道德礼法规范，端正百官职责，协调均衡地使用民力，安定民心。因此，政令不必三令五申，百姓就会服从；不必使用刑罚，天下就能教化，并得到治理。这是因为他的仁德可以感通天地，亿万百姓都会前来归顺。不会统御百姓的国君，抛弃道德礼法，专门使用刑罚，就好比驾驭马匹，不用嚼口和络头，而专门用鞭子鞭打，这样，马车失控就是必然的了。

刑政

【原文】

凡听五刑之讼[1]，必原[2]父子之亲，立君臣之义以权之；意论轻重之序，慎测浅深之量以别之；悉其聪明，致其忠爱以尽之。

【注释】

①五刑之讼：关于墨、劓（yì）、剕（fèi）、宫、大辟五种罪行的案件。

②原：来源或起因，这里用作动词。

【译文】

凡是关于墨、劓、剕、宫、大辟五种罪行的案件，一定要推究父子亲情的感受，以确立君臣之义为前提来权衡案件；评定轻重的顺序，谨慎地估量处罚程度的深浅，以区别各种案件；发挥自己的聪明才智，用忠诚仁爱的心态尽最大限度处理好案件。

【原文】

仲弓曰："古之禁何禁？"孔子曰："析言破律。乱名改作，执左道以乱政者，杀；作淫声，造异服，设奇伎奇器，以荡[1]上心者，杀；行伪而坚，言伪而辨，学非而博，顺非而泽，以惑众者，杀；假于鬼神时日，卜筮以疑民者，杀。此四诛者，不待时，不以听[2]。"

【注释】

①荡：动摇。②听：指在荆木之下再加审理。

【译文】

仲弓（孔子的弟子冉雍）问道："古代的禁令都禁止什么事呢？"孔子说："钻法律空子，篡改规定、巧立名目，用旁门左道的方法扰乱政事的人，该杀掉；创作淫乱的音乐，制作奇装异服，设计各种奇巧淫技来动摇君主心志的人，该杀掉；行为诡诈又顽固不化，言行虚伪且善于巧辩，所学非正道却很渊博，依附邪道并进行粉饰，用以迷惑百姓的人，该杀掉；假借鬼神、天时，用占卜来惑乱民心的人，该杀掉。对这四类罪犯的处决，不必等到规定的处决时间，也可以不按审判程序处理。”

正论

【原文】

孔子曰：“不祥有五，而东益不与焉。夫损人而自益，身之不祥也；弃老而取幼，家之不祥也；释贤而任不肖，国之不祥也；老者不教，幼者不学，俗之不祥也；圣人伏匿，愚者擅权，天下不祥也。故不祥有五，而东益不与焉。”

【译文】

孔子说：“有五种不祥的事，但不包括向东面扩展旧居。损人利己，是对自身的不祥；不孝敬老人，只疼爱孩子，是家庭的不祥；舍弃贤人，任用不正之徒，是国家的不祥；长者不愿意教导，年轻人又不肯学习，是社会风俗的不祥；圣人隐藏着不愿意入世，愚蠢的人专权揽政，是天下的不祥。所以不祥之事有五种，并不包括向东面扩展旧居。”

史记治要

【题解】

《史记》是中国历史上第一部纪传体通史，居“二十四史”之首，由西汉著名史学家司马迁所撰写，初称“太史公书”“太史公传”。全书共一百三十篇，分十二本纪，记历代帝王生平；十表，列大事年表；八书，记典章制度及礼乐等；三十世家，记各国诸侯；七十列传，记重要历史人物。由上古传说中的黄帝时代，至汉武帝元年（前140），长达三千多年。

本纪

【原文】

夫利，百物之所生也，天地之所载也，而有专之，其害多矣。天地百物皆将取焉，何可专也？所怒甚多，而不备大难。以是教王，王其能久乎？夫王人者①，将道②利而布之上下者也。使神人百物无不得极。犹日怵惕③，惧怨之来。今王学专利，其可乎？匹夫专利，犹谓之盗，王而行之，其归鲜矣。

【注释】

①王人：为人之君。

②道：引导。

③怵惕：戒惧。

【译文】

资源，是众多物类所产生的，是天地赐予的，如果有人独占了它们，那祸患就会越来越多。天地万物，人人都可以获取，怎么能独占呢？（独占资源）必然会招来愤怒，不去预防大灾难，却用这样的思想来教唆国君，王位怎么能长久保持呢？作为国君，应该将资源推及国家的各个层面，使神明和百姓都能适得其所。即便如此还要每天诚惶诚恐，害怕有怨气出现。身为国君却要学着独占天下资源，难道可以这样做吗？平民百姓若想独占资源，就会被称为强盗，如果国君这样做，想必归附他的人就会很少了。

【原文】

防民之口，甚于防水。水壅而溃，伤人必多。民亦如之。是故为水者决①之使导，为民者宣②之使言。故民之有口，犹土之有山川也，财用于是乎出；犹其有原隰衍沃也，衣食于是乎生。口之宣言也，善败于是乎兴。夫民虑之心，而宣之口，成而行之。若壅其口，其与能几何？

【注释】

①决：排除堵塞，疏通水道。

②宣：疏导。

【译文】

堵住百姓之口，比堵塞河流的后果更加严重。河水堵塞过重，一旦决口就会伤害众多百姓。堵塞百姓之口也是一样的道理。所以，治水的人要疏通水道，使之通畅；统治百姓的人，要疏导他们，让百姓自由讲话。这样，百姓有嘴巴，就像大地有山川河流一样，人类的财富就从这里生产；又犹如大地有平洼高低的地形一样，人类的衣食物用就从这里产生。能让百姓尽情说话，善恶就会产生。百姓把心里所想公开说出来，成熟的想法就会实施。若堵住他们的嘴巴，那拥护您的人能有几个呢？

【原文】

故秦之盛也，繁法严刑而天下振；及其衰也，百姓怨而海内叛矣。故周得其道，千余岁不绝。秦本末①并失，故不长久。由此观之，安危之统，相去远矣。野谚②曰："前事之不忘，后事之师。"是以君子为国，观之上古，验之当世，参以人事，察盛衰之理，审权势之宜，去就③有序，变化应时，故旷日长久而社稷安矣。

【注释】

①本末：指仁义和法制。

②野谚：俚语，俗话。

③去就：取舍。

【译文】

所以，秦朝强大时，律令繁杂、刑罚严苛，让天下震惊；等到它衰落时，百姓就会发泄心中怨恨，天下叛乱蜂起。周朝有合宜的制度，所以一千多年而不断绝。秦朝不行仁义又滥用法律，本末皆失，所以国家不能长久。由此看来，使国家安定或危亡的准则相去甚远啊！俗话说："前事不忘，后事之师。"因此君子治国理政，要以古为镜，指导当前的实践，还要通过人事检验，从而了解兴衰的道理，审视当前适宜的趋势，注意取舍有序，变化顺应时势，因此国家就能长久存在而社稷安定。

列传

【原文】

穰苴[①]曰："将受命之日，则忘其家；临军[②]约束，则忘其亲；援桴[③]鼓之急，则忘其身。"

【注释】

①穰苴（ráng jū）：田穰苴，又称司马穰苴，春秋末期齐国人，齐田氏家族的支庶。著有《司马法》，"武经七书"之一。

②临军：将出战。

③援桴（fú）：拿着鼓槌，意指随时可以指挥进军。

【译文】

田穰苴说："将领从接受任命开始，就要忘掉自己的家庭；即将出战时，要遵守军令，忘掉自己的亲人；击鼓指挥军队进攻敌人时，要忘掉自身安危。"

酷吏传

【原文】

汉兴，破觚而为圆[①]，斫雕而为朴，网漏于吞舟之鱼，而吏治烝烝[②]，不至于奸，黎民艾安。由是观之，在彼不在此。

【注释】

①破觚（gū）而为圆：削去棱角，变方为圆。比喻去除严刑而实行简政。

觚，方。

②烝烝（zhēng）：宽厚纯一。

【译文】

汉朝兴起，去除严刑苛政而施行简政，如同削去棱角而使其圆融，砍掉雕饰物而回归朴素一样，法网宽松，甚至可以漏掉足以吞噬船只的大鱼，而官场的风气渐渐宽厚纯一，国家不起外乱，百姓安定，天下太平。由此可见，治理国家取决于教化，而不是严刑峻法啊！

滑稽传

【原文】

子产[①]治郑，民不能欺；子贱[②]治单父，人不忍欺；西门豹治邺，人不敢欺。三子之才能，谁最贤哉？辨治[③]者当能别之。

【注释】

①子产：春秋时郑大夫公孙侨的字。

②子贱：姓宓，名不齐，孔子弟子，曾为单父宰。

③辨治：考察政绩。

【译文】

子产治理郑国，百姓不能欺骗他；子贱治理单父，百姓不忍欺骗他；西门豹治理邺县，百姓不敢欺骗他。这三个人谁最为贤良呢？懂得治国之道的人自己就会分辨清楚。

吴越春秋治要

【题解】

《吴越春秋》是一部杂史类著作，主要记述了春秋末期吴越两国争霸的历史故事，它杂录古史，编年记事，在吴越两国的史事上可补充《国语》《左传》之不足。另外，本书也可看作一部历史散文，它的体例构思缜密、系统完整，兼有编年体、国别体和纪传体史书的特点，并将之熔为一炉。现存十卷，作者为东汉赵晔。

【原文】

吴王夫差闻孔子与子贡游于吴，出求观其形，变服①而行，为或人②所戏而伤其指。夫差还，发兵索于国中，欲诛或人。子胥谏曰："臣闻昔上帝之少子，下游青泠之渊，化为鲤鱼，随流而戏，渔者豫沮射而中之。上诉天帝。天帝曰：'汝方游之时，何衣而行？'少子曰：'我为鲤鱼。'上帝曰：'汝乃白龙也，而变为鱼，渔者射汝，是其宜也，又何怨焉！'今夫大王弃万乘之服，而从匹夫之礼，而为或人所刑，亦其宜也。"于是，吴王默然不言。

【注释】

①变服：改变服饰。

②或人：国人，指春秋战国时代城邦的自由民。

【译文】

吴王夫差听闻孔子和弟子子贡来到吴国游览，想看看他们的模样，就便服出宫，不料被街上的一个人戏弄，损伤了手指。夫差回宫后，立刻派兵搜查，要杀掉这个人。伍子胥劝谏道："我听说从前天帝的小儿子，下界到青碧清凉的深潭中游玩，变成一条鲤鱼顺着水流嬉耍，被打鱼人豫沮射中。他回到天宫后，向天帝申诉自己的遭遇。天帝说：'你游玩之时穿什么衣服？'小儿子说：'我变成了鲤鱼。'天帝说：'你本是白龙，却变成鲤鱼，渔人射到你，很合情理，你又有什么好抱怨的呢！'现在大王不穿戴帝王的服饰，而按常人的礼俗，才被国人伤害，这也是合情理的。"于是吴王默默不语。

【原文】

天下之愚莫过于斯。知贪前之利，不睹其后之患也。

【译文】

天下没有比这更愚蠢的事了：只贪图眼前的利益，而无视随之而来的祸患。

汉书治要

【题解】

《汉书》又称《前汉书》，由东汉的班固编撰，是我国第一部纪传体断代史，与《史记》《后汉书》《三国志》并称“前四史”。全书记事始于西汉汉高祖元年（前206），终于新朝王莽地皇四年（23），共两百三十年。《汉书》完成于汉和帝时期，前后用了四十年的时间，开创了“包举一代”的断代史体例。现行本一共一百二十卷，包括纪十二篇，表八篇，志十篇，传七十篇，共一百篇。

志

【原文】

汉兴，拨乱反正，日不暇给，犹命叔孙通制礼仪，以正君臣之位。高祖悦而叹曰：“吾乃今日知为天子之贵也。”遂定仪法，未尽备而通终。至文帝时，贾谊以为“汉承秦之败俗，弃礼义，捐①廉耻，而大臣特以簿书②不报，期会③为故，至于风俗流溢④，恬而不怪。夫移风易俗，使天下回心而向道，类非俗吏之所能为也。立君臣，等⑤上下，使纲纪有序，六亲和睦，此非天之所为，人之所设也。人之所设，不为不立，不修则坏。”乃草具⑥其仪，天子悦焉。而大臣绛、灌之属⑦害之，故其议遂寝⑧。

【注释】

①捐：捐弃，舍弃。

②簿书：官署中的文书簿册。

③期会：在规定的期限内实行政令，多指有关朝廷或官府的财物出入。

④流溢：放佚。

⑤等：分等，区别。

⑥草具：初步制定。

⑦绛、灌之属：汉初绛侯周勃与颍阴侯灌婴的并称。属，同一类人。

⑧寝：废置。

【译文】

汉朝兴起后，治理混乱的局面，使社会恢复正常秩序，尽管每日忙得没有空闲，但仍然让叔孙通制定礼仪，来端正君臣之间的名位。汉高祖刘邦欢喜赞叹道："我今天才体会到身为天子的尊贵啊！"于是制定礼仪法度，但还没有完全制定好，叔孙通就去世了。汉文帝时，贾谊认为："汉朝延续了秦朝衰败的风俗，废弃了礼义，丧失了廉耻之心，而大臣们只把地方官吏不在规定期限内提交文书簿册当作大事，至于世风日下的情况，他们却对此安然自在，丝毫不奇怪。要移风易俗，改变天下人的心意，让大家趋向道义，这大概不是平庸的官吏所能办到的。确立君臣的名分，区别上下的等级，使法度纲常井然有序，六亲眷属和睦相处，这些不是上天规定的，而是人为设置的。既然是人为设置的，不去实施就不能实现，不用心去维护就会衰败。"于是贾谊便草拟了礼仪规制，汉文帝看了也非常高兴。但大臣周勃、灌婴等人却从中设置障碍，于是贾谊的意见就被废置在一旁了。

【原文】

故不仁爱则不能群，不能群则不胜物，不胜物则养不足。群而不足，争心将作，上圣①卓然先行敬让博爱之德者，众心悦而从之。从之成群，是为君矣；归而往②之，是为王矣。

【注释】

①上圣：至圣，指德智超群之人。

②往：归向。

【译文】

所以说如果没有仁爱，就不能把人们组成群体；人们不能组成群体就没办法战胜外物；不能战胜外物，人们的生活所需就会匮乏。人们组成了群体但所需匮乏，争斗之心就会出现，德智超群的圣人率先躬行敬让博爱之德，人民就心悦诚服地追随他。追随他的人越来越多，就形成了群体，这个人就是他们的君主；远近的人都会前来归附他，这个人就成为王者了。

【原文】

《洪范①》曰："天子作民父母，为天下王。"圣人取类以正名，而谓君为父母，明仁爱德让，王道之本也。

【注释】

①洪范：大意之法。《洪范》为《尚书》篇名。

【译文】

《洪范》中说："天子要做百姓的父母，从而成为天下的王。"圣人用相似的称谓来端正名分，所以称君主为"父母"，用以诠释仁爱贤德谦让这些王道的根本。

【原文】

古人有言："天生五材，民并用之，废一不可，谁能去兵？"鞭扑不可弛①于家，刑罚不可废于国，征伐不可偃于天下。用之有本末，行之有逆顺②耳。

【注释】

①弛：舍弃，放下。

②逆顺：多指情节的轻重，事理是否相宜等。

【译文】

古人说："上天生出了金、木、水、火、土五种物质，人们都会用到，缺一不可，谁又能去除军队呢？"治家不可以废弃鞭扑，治国不可以废除刑罚，治理天下不可以废止征伐。只要在运用时分清主次，在实行时懂得轻重就行了。

【原文】

孔子曰："工欲善其事，必先利其器。"文德者，帝王之利器；威武者，文德之辅助也。夫文之所加者深，则武之所服者大；德之所施者博，则威之所制者广。三代之盛，至于刑措[1]兵寝者，以其本末有序，帝王之极功也。

【注释】

①刑措：亦即“刑错”，不用刑罚。

【译文】

孔子说：“工匠想要做好他要做的事，必须先保证工具的精良。”礼乐教化，是帝王的利器；刑罚与武力，是礼乐教化的辅助手段。教化影响的程度越深，武力能征服的范围就越大；道德施及的范围越广博，刑罚能威慑的地方也就越宽广。夏、商、周三代盛世，能达到不用刑罚、不出现战争的局面，就是做到了本末有序的缘故，这是帝王最伟大的功业啊。

【原文】

《洪范》八政，一曰食，二曰货。二者，生民之本，兴自神农之世，“斫木为耜[1]，煣[2]木为耒[3]，耒耨[4]之利，以教天下”，“日中为市，致天下之民，聚天下之货，交易而退，各得其所”，而货通食足，然后国实民富而教化成。

【注释】

①耜（sì）：原始翻土农具耒耜的下端，形状像今天的铁锹和铧（huá），最早是木制成的，后用金属制成。

②煣（róu）：用火烤木材使它弯曲或伸直。

③耒（lěi）：耒耜的柄。

④耒耨（nòu）：犁与锄头，亦泛指农具。

【译文】

《洪范》中记录了古代国家的八政，一是食，二是货。这两个方面，是养育百姓的根本，从神农氏的时代就兴起了，“砍削木料制作耜，用火烤木材来制作耒，将耒耨的用处教给天下百姓”，“在正午集市形成时进行交易，招引天下人，聚集天下货物，交易完成后就离开，各自都会得到了自己所需要的东西”，货物流通，粮食充足，然后，国家就会殷实，百姓就会富足，教化也就形成了。

【原文】

管子曰："仓廪[①]实知礼节。"民不足而可治者，自古及今，未之尝闻。

【注释】

①仓廪（lǐn）：贮藏粮食的仓库。

【译文】

管子说："仓库里粮食充足，百姓就会懂得礼节。"百姓衣食不足，国家能出现大治情况的，从古到今，我都没有听说过。

【原文】

古之人曰："一夫不耕，或受之饥；一女不织，或受之寒。"生之有时，而用之无度，则物力必屈[①]。

【注释】

①屈：竭尽，穷尽。

【译文】

古人（指管仲）说："只要有一个农民不耕作，有人就会挨饿；只要有一个女子不纺织，有人就会受冻。"万物的生长都有时序，如果使用起来没有节度，那么物资一定是会因用尽而匮乏。

【原文】

古之治天下，至纤至悉也，故其蓄积足恃。今背本而趋末，食者甚众，是天下之大残[①]也；淫侈之俗，日日以长，是天下之大贼[②]也。残贼公行，莫之或止。生之者甚少，而靡之者甚多，天下财产，何得不蹶[③]哉！

【注释】

①残：破坏。

②贼：祸害。

③蹶（jué）：枯竭。

【译文】

古人治理天下，极为精微周到，所以他们有足够的资源储备可以依赖。如今人们背离农业之本而趋向商业之末，出现很多不劳而食的人，这是天下的大祸患；奢侈浪费的风气日渐增多，这是天下的大灾难。祸患公然盛行，却没有人来制止它。从事农业生产的人很少，奢靡浪费的人却很多，天下的资材怎么会不枯竭呢？

【原文】

夫寒之于衣，不待①轻暖；饥之于食，不待甘旨②；饥寒至身，不顾廉耻。人情一日不再食③则饥，终岁不制衣则寒。夫腹饥不得食，肤寒不得衣，虽慈母不能保其子，君安能以有民哉！明主知其然也，故务民于农桑，薄赋敛，广蓄积，以实仓廪，备水旱，故民可得而有也。民者，在上所以牧④之，趋利如水走下，四方无择也。夫珠玉金银，饥不可食，寒不可衣，然而众贵之者，以上用之故也。其为物轻微易臧⑤，在于把握，可以周海内而无饥寒之患。此令民易去其乡，盗贼有所劝，亡逃者得轻资⑥也。粟米布帛生于地，长于时，聚于力，非可一日成也；数石之重，中人⑦不胜，不为奸邪所利，一日弗得而饥寒至。是故明君贵五谷而贱金玉。

【注释】

①不待：不必，用不着。

②甘旨：甜美。

③再食：指每日两餐。

④牧：统治，驾驭。

⑤臧：“藏”的古字，收藏，隐藏。

⑥轻资：便于携带的财物。

⑦中人：常人。

【译文】

寒冷时，人需要加衣服，不必一定是轻软暖和的；饥饿时，人需要食物，不必一定是甜美可口的；身体挨饿受冻，人们就不再顾及廉耻。人之常情是一天不吃两顿饭就会饥饿，一年不制作衣服就会受冻。肚子饿了却没有东西吃，身体挨冻却没有衣服穿，这样即使慈母也保不住自己的孩子，国君又怎能留住他的百姓呢！贤明的君主懂得这个道理，所以劝勉人民努力于农耕与蚕桑，减轻他们的田赋税额，广泛地储备粮食，让仓库充实，预防水旱灾害，这样他就可以拥有众多百姓了。人民，在于君主怎样来统治他们。人们都像水向低处流一样趋向利益，不会自主选择方向。珠宝美玉和金银，饥饿时不能食用，寒冷时不能御寒，然而广大民众却认为它们很珍贵，这是因为君主在使用它们。这些物品轻巧而容易收藏，拿在手中，可以走遍天下而不会饥寒交迫。这样就使得百姓容易离开故乡，盗贼受到鼓舞，犯罪逃亡的人有了方便携带的钱财。粟米布帛长在田地之中，随着时令生长，人力凝聚在其中，不是一日之间就能长成的；几石重的粮食，普通人难以搬动，也不会被奸邪的人利用，然而离开它们一天就会感到饥饿寒冷。所以英明的君主重视五谷，轻视金银珠宝。

【原文】

儒家者流，盖出于司徒[①]之官，助人君，顺阴阳，明教化者也。游文于六经之中，留意于仁义之际，祖述尧、舜，宪章文、武，宗师仲尼，以重其言，于道最为高。

【注释】

①司徒：官名，掌管全国的土地和人民的教化。

【译文】

儒家流派，大概起源于掌管教化的司徒这一官职，是辅佐君主，调节阴阳，阐明教化的人。他们潜心于六经之中，注重仁义，遵循尧舜之道，效法文王、武王的章法，尊奉孔子为宗师，来显示儒家言论的重要性，以儒家的“道”为最高准则。

【原文】

道家者流，盖出于史官[①]，历[②]纪[③]成败存亡祸福古今之道，秉要执本，清虚以自守，卑弱以自持，此君人南面者之术也。

【注释】

①史官：主管文书、典籍，并负责修撰前代史书和记录当代史料的官员。

②历：按照次序。

③纪：通“记”。

【译文】

道家流派，大概是起源于史官，按照次序记录了古今国家成败、存亡、祸福的道理，懂得其中的要旨和根本，保持心灵的清净虚无，持守内在的谦卑柔弱，这是统治天下从而称王的术法啊。

传

【原文】

和气致祥，乖气致异[①]。祥多者其国安，异众者其国危，天地之常经[②]，古今之通义也。

【注释】

①异：灾异。

②常经：规律。

【译文】

和平之气可以带来祥瑞，乖戾之气则会招致灾异。祥瑞多国家就能保持安宁，灾异多国家就会出现危险，这是天地之间的规律，古往今来的法则。

【原文】

用贤人而行善政，如或谮之，则贤人退而善政还。夫执狐疑之心者，来谗贼之口；持不断[①]之意者，开群枉之门。谗邪进者，众贤退；群枉盛者，正士销。故《易》有“否”“泰”。小人道长，则君子道销[②]。君子道销，则政日乱，故为否。否者，闭而乱也。君子道长，则小人道销。小人道销，则政日治，故为泰。泰者，通而治也。

【注释】

①不断：不果决。

②销：消散。

【译文】

任用贤人，施行善治，如果有人进谗言毁谤他，贤人就会离去，善治也会就此废止。带着猜疑的心态，会受到诽谤中伤；意志不果决，会给众奸邪打开大门。谗佞奸邪的人被任用，贤人就会全部离去；奸邪之气焰兴盛，正直的人就会离散。所以《周易》中有否、泰二卦。小人之道增长，君子之道就会被削弱。君子之道被削减了，那么国家纲纪就会日益紊乱，所以称为“否”。所谓否，就是由于闭塞不通从而产生混乱。君子之道增长了，那么小人之道就会被削弱。小人之道被削减了，那么国家纲纪就会日益清明，所以叫作“泰”。所谓泰，就是政治通畅昌达，天下大治。

【原文】

向见上无继嗣，政由王氏，遂上封事极谏曰：“臣闻人君莫不欲安，然而危；莫不欲存，然而亡。失御臣之术也。夫大臣操权柄，持国政，未有不为害者也。昔晋有六卿①，齐有田②、崔③，卫有孙④、宁⑤，鲁有季、孟，常掌国事，世执朝柄。后田氏取齐，六卿分晋，崔杼杀其君光，孙林父、宁殖出其君衎⑥、弑其君剽⑦，季氏卒逐昭公。皆阴盛而阳微，下失臣道之所致也。故《书》曰：‘臣之有作威作福，害于而家，凶于而国。’”

【注释】

①六卿：指春秋时晋国的范、中行、知、赵、韩、魏六氏。

②田：齐国田氏，其祖先陈完为陈国厉公之子，因陈国发生变乱，投奔齐国，改姓田。后来田氏子孙世代为齐卿，并逐渐夺得齐国政权，周安王时列为诸侯。

③崔：崔杼（zhù），姜姓，崔氏。春秋时齐国大夫，后为齐国执政。

④孙：孙林父，姬姓，孙氏，名林父。春秋中期卫国卿大夫，孙良夫之子。

⑤宁：宁殖，姬姓，名殖。春秋时卫国大夫。

⑥衎（kàn）：卫献公，姬姓，卫氏，名衎。卫国第二十四代国君，卫定公之子，殇公之兄，襄公之父。

⑦剽（piāo）：卫殇公，姬姓，卫氏，名秋。卫定公之子，卫献公之弟。

【译文】

刘向看到汉成帝没有继承人，政权旁落到外戚王氏手中，于是就呈上密封的奏章，极力劝谏说："臣听闻君主没有不希望国家安定的，然而却常发生危难；没有不想使社稷永远存在的，然而最终却灭亡。这是丧失了管理大臣的办法所导致的。大臣掌控权柄，把持朝政，没有不造成危害的。从前，晋国有六卿，齐国有田氏、崔氏，卫国有孙林父、宁殖，鲁国有季孙氏、孟孙氏，他们常年掌控国事，世代执掌朝政。后来田氏取代了姜姓国君成为齐侯，六卿瓜分了晋国，崔杼杀了他的国君齐庄公，孙林父、宁殖驱逐了卫献公衎，杀害了卫殇公剽，季孙氏最终也赶走了鲁昭公。这些都是因为阴盛阳衰，下位者失去为臣之道导致的啊。所以《尚书》说：'臣子当中如果有作威作福的，必然会危害你的家族，损害你的国家。'"

【原文】

曰安且治者，非愚则谀，皆非事实知治乱之体者也。夫抱火厝[①]之积薪之下，而寝其上，火未及燃，因谓之安。方今之势，何以异此！

【注释】

①厝（cuò）：放置。

【译文】

凡是说天下已经安定、得到大治者，不是无知就是在阿谀奉承，都不是从事实出发、懂得国家安定与动乱缘由的人。有人抱着火种放在柴堆之下，自己却在上面安睡，火还没有燃烧时，就说很安全。如今国家的形势，与这有什么不同呢？

【原文】

为人主计者，莫如先审[①]取舍。取舍之极[②]定于内，而安危之萌应于外矣。安者非一日而安也，危者非一日而危也，皆以积渐然，不可不察也。人主之所积，在其取舍。以礼义治之者，积礼义；以刑罚治之者，积刑罚。刑罚积而民怨背[③]，礼义积而民和亲。故世主欲民之善同，而所以使民善者或异。或导之以德教，或驱之以法令。导之以德教，德教洽[④]而民气乐；驱之以法令者，法令极而民风哀。哀乐之感，祸福之应也。

【注释】

①审：清楚。

②极：中正的准则。

③怨背：因怨恨而背离。

④洽：周遍，广博。

【译文】

为君主谋划的人，没有比先懂得取舍的内容更重要的了。取舍的准则，由朝廷决定，而安危的萌芽就会表现在天下。安定不是一天就能达成的，危亡也不是一天造就的，都是逐步积累起来的寄过，因此不可不明察。君主所积累的，在于他的取舍。用礼义治理国家的人，积累的就是礼义；用刑罚治理国家的人，积累的就是刑罚。刑罚积累得过多，百姓就会产生怨恨，从而背离；礼义积累过多，百姓就会和睦相处。所以，国君希望百姓善良的愿望是相同的，但用来使百姓善良的方式却各有不同。有的用道德教化来教导，有的用法令来驱使。用道德教化来教导，德教就会遍及天下，民众也会感到欢乐；用法令来驱使，法令用到了极点，就会出现哀怨的民风。哀怨欢乐的感受，便是祸福的回应与表征。

【原文】

夫天下，大器。今人之置器，置诸安处则安，置诸危处则危。天下之情与器无以异，在天子之所置之。汤、武置天下于仁义礼乐，而德泽洽，禽兽草木广裕，德被子孙数十世，此天下所共闻也。秦王置天下于法令刑罚，德泽无一有，而怨毒[①]盈于世，人憎恶之如仇雠，祸几及身[②]，子孙诛绝，此天下之所共见也。是非其明效大验[③]邪！

【注释】

①怨毒：怨恨。

②及身：亲身感受到。

③验：校验。

【译文】

天下就好像一个大的器物。如今人们放置器物，把它放在安稳处就安稳，放在危险处就危险。治理天下与放置器物没有什么不通，就看天子把它放置于什么地方。商汤、周武王把天下放置于仁义道德、礼乐教化上，于是德泽广施，禽兽得以繁衍，草木生长茂盛，德行荫庇到几十世的子孙，这是天下人都知道的。秦始皇把天下放置于法令刑罚上，恩泽丝毫都不实行，于是怨恨盈满天地之间，人们憎恨他如寇仇一般，祸害差一点就殃及自身，子孙被诛杀灭绝，这是天下人都看到的。谁是谁非就这样清楚地得到验证了啊！

【原文】

人之言曰："听言之道，必以其事观之，则言者莫敢妄言。"

【译文】

人们说："听取意见，必须用事实来检验它，这样说话的人就不敢随便提意见了。"

【原文】

古者圣王之制，史在前书[①]过失，工诵箴谏[②]，庶人谤于道，商旅议于市，然后君得闻其过失也。

【注释】

①书：记录，记载。

②箴谏：规诫劝谏的话语。

【译文】

古代圣王的制度是：史官在面前记录君主的过失，乐工诵读规劝的话语，百姓在道路上职责君主的过错，商旅之人在街市上议论君主的不当言行，然后君主就能知道自己需要更改的地方了。

【原文】

天子之尊，四海之内，其义莫不为臣，然而养三老[①]于大学[②]，举贤以自辅弼，求修正之士，使直谏。故尊养三老，示孝也；立辅弼之臣者，恐骄也；置直谏之士者，恐不得闻其过也；学问至于刍荛[③]者，求善无厌也；商人庶人诽谤己而改之，从善无不听也。

【注释】

①三老：古代设三老五更之位，天子以父兄之礼尊养他们。

②大学：太学，古代设于京城的最高学府。

③刍荛（chú ráo）：割草砍柴的人。

【译文】

以天子的尊贵，在全国范围内，按道理没有人不是他的臣子，然而天子还在太学以父兄之礼奉养着三老，选拔贤才辅佐自己，访求德行端正的直言劝谏自己。所以尊养三老，显示的是孝道；设立辅佐之臣，是担心自己过于骄纵；任用直言劝谏的官员，是担心不明了自己的过失；学习和询问的对象甚至到割草砍柴的人，是因为对善行的追求从没有满足的时候；听到商旅之人和百姓指责自己的过失，就立即加以改正，是因为对善言总是听从。

【原文】

文王好仁，故仁兴；得士而敬之，则士用，用之有礼义。故不致[①]其爱敬，则不能尽其心，则不能尽其力，则不能成其功。故古之贤君于其臣也，尊其爵禄而亲之，疾则临视之无数[②]，死则吊哭之，为之服锡衰[③]，而三临其丧，未敛[④]不饮酒食肉，未葬不举乐，当宗庙之祭而死，为之废乐。故古之君人者于其臣也，可谓尽礼矣。故臣下莫敢不竭力尽死，以报其上；功德立于后世，而令闻[⑤]不忘也。

【注释】

①致：表达。

②无数：没有限定的数量或规定的次数。

③锡衰：细麻布制成的丧服。锡，通“緆”。

④敛：通“殓”。

⑤令闻：指好名声。

【译文】

文王好仁义，所以仁政能够兴盛；得到贤才能尊敬他们，那么贤才就能为其所用，而文王在任用他们时又能待之以礼义。因此如果不表达出对贤才的仁义与尊敬，就不能让他们各其尽心，各其尽力，也就不能成就功业。所以，古代贤明的君主对待自己的臣子，会授予爵位和俸禄以表示对他们尊重且亲近，臣子有病时就多次亲自去探望，臣子去世时就会去吊唁哀哭，并为他穿上细麻布制成的丧服，前后三次亲临丧礼，在没有装殓前不饮酒吃肉，没有下葬前不演奏音乐，若臣子正赶上举行宗庙祭祀时去世了，祭祀之乐也要停止。因此古代的君主对待他的臣子，可以说已经竭尽礼义了。因此臣下没有人敢不竭尽全力、舍命来报答君主；所以功德能够流传后世，而美好的名声也会让人永远铭记。

【原文】

女无美恶，入宫见妒；士无贤不肖，入朝见疾[①]。

【注释】

①疾：嫉妒。

【译文】

女子无论美丑，一旦被选进宫中就会遭到别人的嫉妒；士人无论贤否，一旦进入朝堂就会被人妒忌。

【原文】

臣闻盛饰入朝者，不以私污义；砥砺名号[①]者，不以利伤行。故里[②]名胜母，曾子不入；邑号朝歌，墨子回车。

【注释】

①砥砺名号：自修品节，保持操守。

②里：中国古代城市居民聚居地，又名闾里、坊。

【译文】

臣听闻穿着端庄服饰入朝为官的人，不会以私心玷污公义；保持操守的人，不会因私利而伤害自己的德行。所以听到有闾里名叫“胜母”的，曾子就不会走进去；听到有城邑叫作“朝歌”的，墨子就会调转车头离开。

【原文】

欲人勿闻，莫若勿言；欲人勿知，莫若勿为。

【译文】

想要别人听不见，不如自己不去说；想要别人不知道，不如自己不去做。

【原文】

磨砻砥砺①，不见其损，有时而尽；种树畜养，不见其益②，有时而大；积德累行，不知其善，有时而用；弃义背理，不知其恶，有时而亡。

【注释】

①磨砻（lóng）砥砺：四种颜色与质地不同的磨石。

②益：增加。

【译文】

用磨石来磨东西，看不见磨石有所损减，但到一定时候就会磨完；种植树木，蓄养牲口，看不见它们的生长，但到一定时候才发现它们长大了；积累品德和善行，不知道有什么好处，但到一定时候它就会产生作用；抛弃仁义，违背天理，也不知道有什么害处，但到一定时候就导致了灭亡。

【原文】

天道之大者在阴阳。阳为德，阴为刑。刑主杀，而德主生。是故阳常居大夏①，而以生育养长②为事；阴常居大冬③，而积于空虚不用之处。以此见天之任德不任刑也。

【注释】

①大夏：盛夏。

②养长：长养，使生长壮大。

③大冬：隆冬。

【译文】

最大的天道是阴阳。阳代表德行，阴代表刑罚。刑主杀，德主生。因此阳常常在盛夏，以生育长养万物为职责；阴常常在隆冬，蓄积在空虚不用的地方。从这里就可以发现上天是任用德教而不喜用刑罚的。

【原文】

琴瑟不调，甚者必解而更张①之，乃可鼓②也；为政而不行，甚者，必变而更化之，乃可理也。当更张而不更张，虽有良工，不能善调也；当更化而不更化，虽有大贤，不能善治也。故汉得天下以来，常欲善治，而至今不可善治者，失之于当更化而不更化也。古人有言："临川而羡鱼，不如退而结网。"今临政而愿治，七十余岁矣，不如退而更化。更化则可善治，善治则灾害日去，福禄日来。夫仁谊礼智信五常之道，王者所当修饬也。五者修饬，故受天之祜③而享鬼之灵，德施乎方外，延及群生也。

【注释】

①更张：重新张设。

②鼓：敲击或弹奏。

③祜（hù）：福。

【译文】

琴瑟合奏时，声音如果没有得到协调，严重时就必须解开琴弦重新张设，然后才能继续弹奏；治理国家如果十分不顺利，就必须实行改革政策，然后才能将国家治理得昌达。应当重新张设琴弦而不去做的话，即使是好的乐工，也不能把琴瑟调理得和谐悦耳；应当改革政策而不去做的话，即使有非常贤能的人，也不能把国家治理好。因而汉朝自从获得天下以来，常常希望得到治理，至今却仍不能治理好的原因，就是在于应该改革的时候却没有进行改革。古人有句话说："站在河边想要得到鱼，不如回家先把网织好。"从汉朝立国并希望实现天下大治，到现在已经有七十余年了，不如退回来进行改革。进行改革就能将国家治理好，国家得到治理了，灾难就会日益消除，福德就会渐渐到来。仁、义、礼、智、信，这五种恒常不变之道，是帝王应当整治的。五个方面都得到了整治，就能得到上天的福佑，使鬼神来享受祭祀，恩德遍及于边远地区，扩展到万物生灵。

【原文】

故民者，业之即不争，理得则不怨，有礼则不暴[①]，爱之则亲上，此有天下之急者也。故法不远义，则民服而不离；和不远礼，则民亲而不暴。故法之所罚，义之所去也；和之所赏，礼之所取也。礼义者，民之所服也，而赏罚顺之，则民不犯禁矣。故画衣冠，异章服，而民不犯者，此道素行[②]也。

【注释】

①暴：欺凌。

②素行：一贯认真地执行。

【译文】

对百姓来说，只要使他们安居乐业就不会起争夺；事情符合道理就不会生出报怨；讲求礼义就不会心生蛮横；施与仁爱，他们就会爱戴君主，这是君主的当务之急啊！所以法律只要不远离道义，百姓就会顺从而不背离；和谐而不偏离礼义，百姓就会互相亲爱而不凶暴。所以法律要进行惩处的，就是义理所要抛弃的；为社会和谐而要进行赏赐的，就是礼义所求取的。礼义，是为百姓所信服的，如果赏罚能顺应礼义，那么百姓也就不会违犯禁令了。所以在罪犯的衣冠上画上图形、穿上特殊图饰的衣服，百姓就不会犯罪，这是因为那是人们一贯遵循的礼义。

【原文】

怒者逆德也，兵者凶器也，争者末节[①]也，故圣王重之。夫务战胜，穷武事，未有不悔者也。

【注释】

①末节：卑下的品行。

【译文】

愤怒的情绪是违背道德的，兵器是不祥之物，争夺是卑下的行为，所以圣明的君主对它们非常谨慎。致力于战胜他人、穷兵黩武，没有不后悔的。

【原文】

故贤主独观万化[1]之原，明安危之机[2]，修之庙堂之上，而销[3]未形之患也。其要，期使天下无土崩之势而已矣。臣闻图王不成，其弊足以安。安则陛下何求而不得、何威而不成、奚[4]征而不服哉？

【注释】

①万化：万事万物。

②机：事物的关键。

③销：消除，消散。

④奚：疑问词，何。

【译文】

所以贤明的君主特别要观察万事万物的本原，明确安危的关键，整治于朝堂之上，从而消除尚未成形的祸患。要点就在于企望天下没有土崩之势而已。臣听闻即使不能成功谋求王道，尽管存在一些弊病，但还是可以保持天下安定。只要天下安定，那么陛下还有什么愿望不能得到满足？什么权威不能实现？进行征伐时谁能不服呢？

【原文】

士者，国之重器[1]。得士则重，失士则轻。《诗》云："济济[2]多士，文王以宁。"

【注释】

①重器：大器。

②济济：众多。

【译文】

士人，是国家的重器。得到了士的辅助，国势就厚重，失去了士人的而辅助，国势就轻薄。《诗经》上说："忠勇之臣多，文王得安宁。"

【原文】

圣主独行于深宫，得则天下称诵之，失则天下咸言之。行发于近，必见于远，谨选左右，审择所使。左右所以正身也，所使所以宣德也。

【译文】

圣明的君主自己在深宫之中处理政事，事情有得，天下人就称颂他；事情有失，天下人就议论他。行为发生在近处，必然会传播到远方，所以要慎重地选择辅佐的大臣，仔细地挑选使者。慎重选择近臣是为了使君主端正自身，慎重地选派使者是为了宣扬君主的德政。

【原文】

凡民有七亡：阴阳不和，水旱为灾，一亡也；县官重责①，更赋②租税，二亡也；贪吏并公，受取不已，三亡也；豪强大姓，蚕食无厌，四亡也；苛吏繇③役，失农桑时，五亡也；部落鼓鸣，男女遮列④，六亡也；盗贼劫略，取民财物，七亡也。七亡尚可，又有七死：酷吏殴杀，一死也；治狱深刻⑤，二死也；冤陷无辜，三死也；盗贼横发⑥，四死也；怨仇相残，五死也；岁恶饥饿，六死也；时气疾疫，七死也。民有七亡而无一得，欲望国安诚难。民有七死而无一生，欲望刑措诚难。

【注释】

①重责：严厉的责罚。

②更赋：汉代以缴纳钱财代替更役的赋税。男子年二十三至五十六岁，按规定要轮番戍边服兵役，称为更。

③繇：通“徭”。

④遮列：列队遮拦，指参战。

⑤深刻：严峻苛刻。

⑥横发：突然发生。

【译文】

大凡老百姓有七种无法生活的原因：阴阳不调和，出现水旱成灾，是其一；官府责罚加重，租税兵役增加，是其二；贪官污吏假公济私，榨取民脂民膏，是其三；豪强大姓，贪得无厌地蚕食人民，是其四；官吏苛刻滥派徭役，耽误农桑收割时节，是其五；部落之间常年争战，导致男女不得不全部参战，是其六；盗贼掠夺百姓财物，是其七。这七种情况还不算最酷烈，更有七种致死的情况：被酷吏打死，是其一；审理狱案严峻苛刻，是其二；冤枉诬陷无罪的人，是其三；盗贼横行，是其四；因仇怨而互相残杀，是其五；连年歉收，百姓饥饿，是其六；季节性疾病、瘟疫流行，是其七。百姓面对这七种导致死亡的情况，却享受不到朝廷的一点恩德，想指望国家安定，实在是困难。百姓面对这七种可以导致死亡的情况却没有一条生路，想指望刑罚被搁置，实在是困难。

【原文】

夫官爵，非陛下之官爵，乃天下之官爵也。陛下取非其官，官非其人，而望天悦民服，不亦难乎！治天下者，当用天下之心为心，不得自专快意而已也。上之，皇天见谴；下之，黎庶恨怨。

【译文】

官爵，不是陛下的官爵，而是百姓的官爵。君主选取的不是适宜的官位，所封之官不是适宜的人选，却希望上天喜悦、百姓敬服，这不是很困难吗！治理天下的人，应当以百姓的心愿为心愿，不能只顾及自己是否快意！（如果那样，）上皇天会谴责，下老百姓也会怨恨。

后汉书治要

【题解】

《后汉书》是一部记载东汉历史的纪传体断代史，也是继《史记》《汉书》之后，又一部私撰史书，由南朝宋时期的历史学家范晔编撰而成，“前四史”之一。全书记录了上起东汉光武帝建武元年（25），下至汉献帝建安二十五年（220），共一百九十六年的历史。全书分为十纪，八十列传。现存本为八志三十卷，由南朝梁刘昭从司马彪《续汉书》抽补。

皇后纪序

【原文】

圣人设教①，各有其方，知人情性莫能齐也。

【注释】

①设教：实施教化。

【译文】

圣人实施教化，各有不同的方法，这是他们因为懂得人的性情是不能齐等的。

列传

【原文】

《黄石公记》曰：“柔能制刚，弱能制强。”柔者德也，刚者贼也。弱者仁之助也，强者怨之归也。舍近谋远者，劳而无功；舍远谋近者，逸而有终。逸政多忠臣，劳政多乱民。故曰：务广地者荒，务广德者强；有其有者安，贪人有者残。残灭之政，虽成必败。

【译文】

《黄石公记》中说：“柔能克刚，弱能胜强。”柔顺是一种德行，强硬只会招来祸患。弱者能得到仁者的帮助，强者则会遭受到人们的怨恨。舍近求远的人，只会劳而无功；舍远求近的人，就会闲适而得善终。让百姓能够安居乐业的政治大多会出现忠臣，让百姓烦劳忧愁的政治就会生出乱民。所以说：致力于扩大疆土就会出现荒芜的现象，致力于扩大德政才会使国家富强；满足手里已有的，人心就会安定；不满足于现状而贪图别人所有的，人心就会变得残暴。残酷暴虐的统治，即使成功，最终还是会失败。

【原文】

夫改政移风，必有其本。《传》曰："吴王好剑客，百姓多瘢疮；楚王好细腰，宫中多饿死。"长安语曰："城中好高髻，四方[1]高一尺；城中好广眉，四方且半额；城中好大袖，四方用匹帛。"斯言如戏，有切事实。

【注释】

①四方：指京城以外的地区。

【译文】

移风易俗，必须把握根本。《左传》说："吴王喜欢精于剑术的人，百姓身上就多有伤疤；楚王喜欢细腰的大臣，大臣们就多有饿死的。"长安城中流行的谚语说："城里的人喜欢将发髻高高束起，城外四方的百姓发髻就会高达一尺；城里的人喜欢描画长眉毛，城外四乡的百姓就会把眉毛画到半额；城里的人喜欢穿长袖衣服，城外四方的百姓就会用整匹布来做衣袖。"这些虽像笑话，却是实际发生的事情。

传

【原文】

国家之废兴在于政事，政事得失由乎辅佐。辅佐贤明，则俊士[1]充朝，而治合世务；辅佐不明，则论[2]失时宜，而举多过事。

【注释】

①俊士：杰出之人。

②论：政论，观点。

【译文】

国家兴废的关键在于政事，政事得失的关键在于辅佐的大臣。辅佐之臣贤明，德行深厚，那么满朝都会是贤能之士，治国方略也会适合当前时世；辅佐之臣不够贤明，就会使政论不符合时势所需，而且其治国的措施大多也会是错误的。

【原文】

盖善治者，视俗而施教，察失而立防，威德更兴，文武迭用，然后政调于时，而躁人可定。昔董仲舒言："治国譬若琴瑟，其不调者，则解而更张。"夫更张难行，而拂①众者亡。

【注释】

①拂：违背，违逆。

【译文】

大抵上，善于处理政务的人，观察风俗，施行教化，考察过失，设立预防制度，权威和德政并举，文武并用，然后才能让政治与时势相适应，而不安分的人才可以安定。从前，董仲舒曾说过："治理国家就像调理合奏用的琴瑟一样，那些不能调理好的琴弦，就应该被换掉。"如果很难改弦更张，而违背众人意志，就会导致失败。

【原文】

师臣者帝，宾臣者霸。故武王以太公①为师，齐桓以夷吾②为仲父。

【注释】

①太公：姜太公。

②夷吾：管仲。

【译文】

把臣子当作老师的人能够称帝，把臣子当作宾客的人能够称霸。所以周武王以姜太公为老师，齐桓公以管夷吾为仲父。

【原文】

故人君患在自骄，不患骄臣；失在自任，不在任人。是以文王有日昃[1]之劳，周公执吐握[2]之恭，不闻其崇刺举、务督察也。

【注释】

①日昃（zè）：太阳偏西，下午两点左右。

②吐握：吃饭时多次吐出口中的食物，洗头时多次把头发握在手中。形容礼贤下士，求才若渴。

【译文】

所以国君的祸患在于骄傲自大，而不在于有傲慢的臣子；他的失误在于自身的职责，不在于被任用的人。因此周文王有过午还顾不上吃饭的操劳，周公有一顿饭三吐哺、一沐浴三握发、求才若渴的谦恭，没有听说过他们崇尚揭发检举、监视别人的事。

【原文】

务进仁贤，以任时政，不过数人，则风俗自化矣。

【译文】

一定要选用仁德贤能的人，来处理时政事务。这样不过数人，就能将风俗自然改变过来。

【原文】

昔者晋平公问于叔向曰："国家之患孰为大？"对曰："大臣重禄不极谏，小臣畏罪不敢言，下情不上通，此患之大者。"

【译文】

当日晋平公问叔向说："国家什么忧患最大？"叔向回答说："大臣看重俸禄而不愿全力劝谏君主，小臣害怕罪责而不敢进言，下面的情况没办法反映上去，这就是国家最大的祸患。"

【原文】

震中子[1]秉，字叔节，延熹五年，为太尉。是时宦官方炽[2]。中常侍[3]侯览弟参为益州刺史，累[4]有臧罪[5]，暴虐一州。秉劾奏参，槛车征诣[6]廷尉[7]。参自杀。秉因奏览及中常侍具瑗，免览官，而削瑗国。每朝廷有得失，辄尽忠规谏，多见纳用。秉性不饮酒，尝从容言曰：“我有三不惑，酒、色、财也。”

【注释】

①中子：排行在中间的儿子。

②炽：兴盛。

③中常侍：官名，皇帝近臣。

④累：屡次。

⑤臧罪：贪污受贿罪。

⑥征诣：召往。

⑦廷尉：官名，掌管刑狱。

【译文】

杨震的中子杨秉，字叔节，汉桓帝延熹五年时，担任太尉一职。当时宦官正当道。中常侍侯览的弟弟侯参正担任益州刺史，屡次犯有贪污罪，其暴虐直接危害整个益州。杨秉弹劾侯参，然后皇帝下令用槛车把侯参征召到廷尉那里。结果侯参畏罪自杀了。接着，杨秉因为参奏侯览和中常侍具瑗，最终使得侯览被免官，具瑗被削减了封国。每当朝廷有得失，他都会尽忠规谏，意见多被采纳。杨秉生性不喜饮酒，曾经从容地说：“我不会被三种东西所迷惑，即酒、色、财。”

【原文】

天下之祸，不由于外，皆兴于内。是故虞舜升朝，先除四凶，然后用十六相，明恶人不去则善人无由进者。

【译文】

天下的祸患，不是由外因引发的，而是从内部产生的。所以虞舜升朝的时候，首先除去四凶，然后任用十六位贤臣，以表明恶人如果不被除去，善人就无法受到任用。

【原文】

人君莫不好忠正而恶谗谀，然而历世之患，莫不以忠正得罪、谗谀蒙幸者，盖听忠难、从谀易也。夫刑罪，人情之所甚恶；贵宠，人情之所甚欲。是以世俗为忠者少，而习谀者多。故令人主数闻其美，稀知其过，迷而不悟，至于危亡也。

【译文】

君主没有不喜欢忠诚正直而厌恶谗言奉承的，然而历代出现的祸殃，没有不是忠诚正直的人获罪、谗谀的人受到宠爱的，大凡听从忠言很难，但顺从谄谀之言则很容易。刑罚罪责是人们非常厌恶的；尊贵宠信是人们非常向往的。因此世上奉行忠诚正直的人很少，习惯谄媚谀人的人却很多。所以这让君主常常只能听到自己美好的一面，却很少能知道自己的过失，执迷不悟，最终导致危亡。

【原文】

王者父天母地，宝有山川。王道得则阴阳和理，政化乖①则崩震为灾，斯皆关之天心，效于成事者也。夫治以职成，官由能理。古之进者，有德有命②；今之进者，唯财与力。

【注释】

①乖：反常，谬误。

②命：指封爵受职。

【译文】

王者以上天为父亲，以大地为母亲，以山川为珍宝。王道通行，阴阳就会调和；政治教化乖违混乱，就会产生山崩地震等灾害。这些都是和天意民心相关的，并且被以往的事所验证过的现象啊。天下大治要靠官员各司其职来实现，官职要由有治理能力的人才担任。古代做官的人，有德的才可以封爵受职；如今做官的人，只凭借钱财和势力。

【原文】

贤明之君，委心①辅佐；亡国之主，讳闻直辞。故汤、武虽圣，而兴于伊、吕②；桀、纣迷惑，亡在失人。由此言之，君为元首，臣为股肱，同体相须，共成美恶者也。

【注释】

①委心：倾心。

②吕：吕望，即姜太公。

【译文】

贤明的君主，倾心于辅佐的大臣；亡国的君主，很忌讳听到正直的言辞。所以商汤、周武王虽然是圣明的君主，仍然要靠伊尹、姜太公的辅佐，国家才兴盛起来；夏桀、商纣昏庸无道，他们最终的亡国在于用人不当。由此说来，君主相当于人的头部，臣子就相当于大腿和胳膊，同为一体，相互需要，荣辱与共。

【原文】

夫吉凶之效，在乎识善；成败之机，在于察言。人君者，摄天地之政，秉四海之维①，举动②不可以违圣法，进退不可以离道规。谬言出口，则乱及八方③，何况髡④无罪于狱、杀无辜于市乎！

【注释】

①维：纲纪，法度。

②举动：举止，行动。与后文“进退”同义。

③八方：四方与四隅。

④髡（kūn）：古代剃发的刑罚。

【译文】

吉凶的效用，在于能辨明善事；成败的关键，在于审察言论。作为君主，统摄天下政事，秉承四海纲维，言行举止不可以违背圣王的法则，进退不可以背离自然规律。口出妄言，祸乱就会殃及八方，何况是于监狱中髡无罪之人、于街市上杀无辜之人呢！

【原文】

明主不讳讥刺之言，以探幽暗之实；忠臣不恤谏争之患，以畅万端①之事。是以君臣并熙，名奋②百世。

【注释】

①万端：形容方法、头绪、形态等纷繁复杂。

②奋：发扬。

【译文】

开明的君主不忌讳含有讽刺的规谏，以便从中探明幽暗之地的真实情况；忠诚的臣子不会顾及直谏的灾祸，用以疏通复杂纷繁的事情。因此君臣能够和谐相处，名声能够流传百世。

逸民传

【原文】

汉滨老父①者，不知何许人也。桓帝延熹中，幸竟陵②，过云梦③，临沔水④，百姓莫不观者，有老父独耕不辍。尚书郎南阳张温异之，使问曰："人皆来观，老父独不辍，何也？"父笑而不对。温自与言。老父曰："我野人⑤耳，不达斯语。请问天下乱而立天子耶？理而立天子耶？立天子以父天下耶？役天下以奉天子耶？昔圣王宰世⑥，茅茨⑦采椽⑧，而万民以宁。今子⑨之君，劳民自纵，逸游无忌。吾为子羞之，子何忍欲人观之乎？"温大惭。问其名姓，不告而去。

【注释】

①老父：对老人的尊称。

②竟陵：古代称湖北省天门市。

③云梦：湖北省中部偏北。

④沔（miǎn）水：今汉江。

⑤野人：泛指村野之人，农夫。

⑥宰世：治理天下。

⑦茅茨：用茅草盖的屋，亦指茅屋。

⑧采椽：用栎木或柞木做椽子。比喻俭朴。

⑨子：代词，表示第二人称，相当于"您"。

【译文】

汉江边有位老人，不知来自哪里。延熹年间，汉桓帝到竟陵巡游，经过云梦这个地方，来到汉江边上，百姓们都来前观看，只有这位老人依然没有停止耕作。尚书郎南阳人张温感到很奇怪，便派人去问他说："人们都来观看皇帝出游，您老为何却不停止耕作呢？”老者笑而不答。于是张温亲自和老人交谈。老人说：“我是个村野农夫，听不懂你的话。请问是为了天下混乱才设立天子呢，还是为了天下能够有效治理才设立天子？是设立天子让他以百姓为父母呢？还是役使百姓来侍奉他呢？从前圣王治理天下，用茅草盖的房子不加修剪，用栎木做的椽子也不进行砍削，因而百姓生活平稳安宁。现在你的君王劳苦民众，放纵自己，醉心于游乐而无所顾忌。我为你们感到羞耻，你怎么还忍心让百姓去观看呢？”张温听后十分惭愧，问老人的姓名，老人没有告诉他，就独自走开了。

魏志治要

【题解】

《三国志》是一部纪传体断代史书，“前四史”之一，由西晋史学家陈寿所撰写。最早以《魏志》《蜀志》《吴志》单独流传，北宋时合而为一，改称《三国志》。它是“二十四史”中最为特殊的一部，因其过于简略，没有记载地理、经济、典章制度的志书或表，不符合《史记》和《汉书》所确立下来的一般正史的规范。全书共六十五卷，其中《魏志》三十卷，分本纪和列传；《蜀志》十五卷，《吴志》二十卷，均只有列传。

纪

【原文】

善为国者必先治其身，治其身者慎其所习[①]。所习正，则其身正，其身正，则不令而行；所习不正，（则其身不正，其身不正）则虽令不从。是故为人君者，所与游[②]必择正人，所观览必察正象，放郑声[③]而弗听，远佞人而弗近，然后邪心不生，而正道可弘也。

【注释】

①习：熟悉的人。

②游：结交的朋友。

③郑声：原指春秋战国时郑国的音乐，因与孔子等提倡的雅乐不同，所以受到儒家排斥。后来，凡是与雅乐相悖的音乐，甚至一般的民间音乐，均为崇“雅”者称为“郑声”。

【译文】

善于治理国家的人必须先提高自身的修养，修身者应当谨慎对待自己所亲近的人。所亲近的人为人正派，那么自身也会正派，自身正派，那么不用发出命令，属下也会按命令去实行；若所亲近的人不正派（自身就不会正派，自身不正派），那么即使发号施令，属下也不会遵从。所以，作为国君，他一定要选择正派的人去交往，一定要选择观看纯正的景象，不听庸俗的音乐，疏远而不是去接近谄媚的人，这样才能不滋生邪恶之心，正道也能得到弘扬。

【原文】

舜戒禹曰：“邻哉，邻哉！”言慎所近也。周公戒成王曰：“其朋，其朋！”言慎所与也。

【译文】

虞舜告诫夏禹说：“邻哉，邻哉！”就是说要谨慎选择自己亲近的臣子。周公告诫周成王说：“其朋，其朋！”就是说要谨慎选择所交往的人。

后妃传

【原文】

惟色是崇，不本淑懿[①]。故风教陵迟[②]，而大纲[③]毁泯，岂不惜哉！呜乎！有国有家者，其可以永鉴矣！

【注释】

①淑懿：指美德。

②陵迟：败坏。

③大纲：主要的法纪。

【译文】

只推崇看重姿色，而不以美德为本。所以，社会风气就会被衰败，维系社会的基本法纪也会被毁坏，这难道不是太可惜了吗！唉，拥有国家的人，可以长久地以此为鉴啊！

【原文】

在昔帝王之有天下，不唯外辅，亦有内助，治乱所由，盛衰从之。

【译文】

从前，帝王治理天下，不仅需要公卿大臣去辅佐他，也离不开内宫后妃的帮助，后妃是导致国家安稳与动乱的根由，兴盛和衰败都受此影响。

传

【原文】

夫除无事之位，损不急之禄，止浮食①之费，并②从容之官，使官必有职，职任其事，事必受禄，禄代其耕，乃往古之常式，当今之所宜也。官寡而禄厚，则公家之费鲜，进士之志劝，各展才力，莫相倚杖。敷奏③以言，明试④以功，能之与否，简在帝心矣。

【注释】

①浮食：不去耕作而食。

②并：通“屏”，屏弃。

③敷奏：向君上报奏。

④明试：明白考验。

【译文】

废除无实事可做的闲职，减少并不紧急的禄位，停止发放供养多余人员的费用，裁汰悠哉从容的官员。让为官者都有自己的职责，有职责就要承担起相应的事务，承担事务就要发放俸禄，用俸禄代替耕作，这是自古以来的常理，也是当今国家应该实行的制度。官员数量少，俸禄却优厚，那么国家的花费就会减少，人们也可以受到鼓舞，勇于入仕为官，官员施展自己的才能，就不会相互推诿责任。让他们陈奏各自的政务，考核他们的政绩，官员贤能与否，国君就非常清楚了。

【原文】

人命至重，难生易杀，气绝而不续者也，是以圣王重之。孟轲称“杀一无辜以取天下，仁者不为也”。

【译文】

人的性命是最重要的，让人生存困难，杀死他却很容易，气息断绝就无法再续，因此圣明的君王非常重视这一点。孟子说“即使杀一个无辜的人便能取得天下，仁德之人也不会这样做”。

【原文】

明主之用人也，使能者不敢遗其力，而不能者不得处非其任。选举非其人，未必为有罪也；举朝共容非其人，乃为怪耳。

【译文】

贤明的君主选用人才，使有能力的人不敢保留余力，无能的人不能居于不适合他的职位。推举上来的人不合适，不一定是罪过；而满朝大臣都容忍不适合的人在位，这才是奇怪的事啊。

【原文】

天称其高，以无不覆；地称其广，以无不载；日月称其明，以无不照；江海称其大，以无不容。故孔子曰：“大哉尧之为君！唯天为大，唯尧则[①]之。”

【注释】

①则：用作动词，意为效法。

【译文】

上天被认为很高，是因为没有什么不为它所覆盖；大地被认为广大，是因为没有什么不为它所承载；日月被认为光明，是因为没有什么不为它所照耀；江海被认为辽阔，是因为没有什么不能为它所容纳。所以孔子说："真是伟大啊！尧作为君主。只有天最高大，也只有尧能效法它。"

【原文】

与其守宠罹祸，不若贫贱全身也。

【译文】

与其守着恩宠而遭遇祸患，不如处于贫贱之地而保全自己的性命。

【原文】

夫与人共其乐者，人必忧其忧。与人同其安者，人必拯其危。先王知独治之不能久也，故与人共治之。知独守之不能固也，故与人共守之。

【译文】

能与百姓共同享受欢乐的君主，百姓必定会忧虑他所忧虑的事；能与百姓一起享受安宁的君主，百姓必定会拯救他的危难。先王懂得靠自己一人之力治理国家是不能长久的，所以要与人共同治理。先王也明白独自守护王室是不能够牢固的，所以要与人一起守护。

蜀志治要

【原文】

勿以恶小而为之，勿以善小而不为。惟贤惟德，能服于人。

【译文】

不要因为恶事很小就去做，不要因为善事很小就不去做。只有贤能和仁德，才能使他人信服。

【原文】

诸葛亮之为相国[①]也，抚百姓，示义轨，约[②]官职，从权制，开诚心，布公道。尽忠益时者虽仇必赏，犯法怠慢者虽亲必罚，服罪输情[③]者虽重必释，游辞巧饰者虽轻必戮。善无微而不赏，恶无纤而不贬。庶事[④]精练，物理其本，循名责实，虚伪不齿[⑤]。终于邦域之内，咸畏而爱之。刑政虽峻而无怨者，以其用心平而劝戒明也。可谓识治之良才，管、萧之亚匹[⑥]矣。

【注释】

①相国：古官名，后为宰相的尊称。

②约：少，省减。

③输情：表达真情。

④庶事：各种政事。

⑤不齿：不与同列。表鄙视。

⑥亚匹：同一流的人。

【译文】

诸葛亮担任（蜀国的）丞相，安抚百姓，明示礼仪法规，裁汰冗员，采用合乎时宜的制度，开诚布公，宣示公道。对竭尽忠诚有益时政的人，即使是仇人也去奖赏他；对违背法律做事懈怠的人，即使是自己亲信也去惩罚他；对承认过错表示忏悔的人，即使罪过很重也去宽释他；对用花言巧语掩饰罪恶的人，即使罪过较轻也去责罚他。对那些即使微细的好人好事，也会进行奖赏；对那些即使轻微的坏人坏事，都会进行贬斥。熟习各项政务，从根本上进行治理，遵行名实相符，鄙视虚伪的行为。最终在蜀国的邦域之内，人们都敬畏而爱戴他。刑法政令虽然严峻却没有人怨恨他，这是因为他用心公正，告诫也十分明确。他可以称得上是治国的杰出人才，是能和管仲、萧何相媲美的人物。

吴志治要

【原文】

自古有国有家者，咸欲修德政以比隆①盛世，至于其治，多不馨香。非无忠臣贤佐，暗于治体也，由主不胜②其情，弗能用耳。夫人情惮难而趣③易，好同而恶异，与治道相反。传曰："从善如登，从恶如崩。"言善之难也。

【注释】

①比隆：同等兴盛。

②不胜：不能制伏。

③趣：趋向。

【译文】

自古以来拥有家国的人，都想实行德政，以开辟与古代比肩的盛世，但是他们治理的成效，大多不美好。这不是因为他们缺少贤良的辅臣，也不是因为他们不懂得治国之道，而是由于国君不能克制自己的私欲，不能采用辅佐的忠臣和治国的正道罢了。趋利避害是人之常情，喜欢自己赞同的意见而不喜欢相左的意见，这与治国原则恰好相反。《国语》说："行善如登山一样困难，作恶如山崩一样容易。"说的就是行善之难啊。

【原文】

君国者，以据疆土为强富，制威福①为尊贵，曜②德义为荣显，永世胤③为丰祚。然财须民生，强赖民力，威恃民势，福由民殖，德俟④民茂，义以民行。六者既备，然后应天受祚，保族宜邦。《书》曰："众非后⑤无能胥⑥以宁，后非众无以辟四方。"推是言之，则民以君安，君以民济，不易⑦之道也。

【注释】

①威福：指统治者的赏罚权力。

②曜（yào）：炫耀。

③胤（yìn）：继承，延续。

④俟（sì）：等待。

⑤后：上古称君主。

⑥胥（xū）：都。

⑦不易：不变。

【译文】

统治国家的君主，以拥有广大的土地为富强，以控制赏罚权力为尊贵，以显示道德信义为荣耀，以永世延续国祚为福德。然而财富需要百姓的创造，强盛需要依赖百姓的力量，威势需要凭借百姓的势力，福德需要由百姓来增加，德行需要百姓来兴盛，仁义需要凭借百姓来实行。这六方面具备了，然后才能顺应天意，保持国祚，保全宗族，造福国家。《礼记》上说："百姓没有君主，就不能安宁；君主没有百姓，就不能开疆扩土。"从这句话中推论，百姓凭借君主才能得到安定，君主依靠百姓才能成就功业，这是永远不变的道理。

【原文】

夫国之有民，犹水之有舟，停则以安，扰则以危，愚而不可欺，弱而不可胜也。是以圣王重焉，祸福由之。故与人消息①，观时制政。方今长吏②亲民之职，惟以办具为能，取过目前之急，少复以恩惠为治，副称③陛下天覆之仁，勤恤之德者也。官民政俗，日以凋弊，渐以陵迟，势不可久。夫治疾及其未笃，除患贵其未深。

【注释】

①消息：休养生息。

②长吏：指州县长官的辅佐。

③副称：副与称同义，相称、符合。

【译文】

国家拥有百姓，就像水中有船一样，水平静船就安全，水动荡船就危险，百姓虽然暗昧却不能欺骗，虽然是弱者却不可战胜。因此圣明的国君看重百姓，知道国家的祸福都是他们决定的。所以让百姓休养生息，观察时机而制定相应的政策。现在县里的长吏，担负治理民众的职责，但他们只以完成任务为能事，只想着解决眼前的紧急情况，很少再用施与恩惠来治理百姓，以符合陛下如上天覆盖万物般的仁德、关怀百姓之恩德的人。官员的政治和百姓的风俗日益败坏，逐渐凋零，这种形势必然不会持续太久。治病要趁其不重时治疗，消除祸患要在其不深时动手。

【原文】

历观①古今功名之士，皆有积累殊异之迹，劳身苦体，契阔②勤思，平居不惰其业，穷困不易其素③，是以卜式④立志于耕牧，而黄霸⑤受道于囹圄，终有崇显之福，以成不朽之名。故山甫⑥勤于夙夜，而吴汉不离公门，岂有游惰哉？

【注释】

①历观：逐一查看。

②契阔：勤苦。

③素：指平时的行为、修养及志向。

④卜式：西汉大臣。

⑤黄霸：西汉著名大臣。

⑥山甫：仲山甫，周宣王时的贤臣，后用以代称贤臣。

【译文】

逐一观察古今功成名就的人，会发现他们都有日积月累而与常人不同的经历，用勤苦锻炼自己的身体，勤奋地思索，平时不放松自己的学业，穷困时也不改平时的志向，因此卜式在农耕放牧时立下志向，黄霸在监狱中接受道学，最终获得了尊贵显要的福分，成就了不朽的名声。所以仲山甫日夜勤劳，而吴汉勤劳于公务，不离官署，他们怎么会怠游惰息呢？

【原文】

主之所求于民者二，民之所望于主者三。二谓求其为己劳也，求其为己死也；三谓饥者能食之，劳者能息之，有功者能赏之。民已致其二事而主失其三望者，则怨心生而功不建。

【译文】

国君要求百姓的事有两点，而百姓希望国君做的事有三点。国君的两点是要百姓为自己效劳，为自己献出生命；百姓的三种期望是：挨饿的人有饭吃，疲累的人能够休息，有功的人能得到奖赏。百姓已经做到了国君要求的两点，而国君如果不能满足百姓的三项期望，百姓就会随之产生怨恨之心，伟大的功业就不能建立了。

晋书治要

【题解】

《晋书》，由唐代房玄龄等人编撰合著。所记载的历史始于三国时期司马懿早年，终于东晋刘裕废晋自立，以宋代晋。全书现存共一百三十卷，包括帝纪十卷，志二十卷，列传七十卷，载纪三十卷。其中载纪，记述了少数民族所建的“十六国”政权的情况，这是纪传体史书体例上的一个创新。

传

【原文】

夫人情，争则欲毁己所不如，让则竞推于胜己。故世争则毁誉交错，优劣不分，难得而让也；时让则贤智显出，能否[①]之美，历历[②]相次，不可得而乱也。当此时也，能退身修己者，让之者多矣，虽欲守贫贱，不可得也。驰骛[③]进趣[④]，而欲人见让，犹却行[⑤]而求前也。夫如是，愚智咸知进身求通，非修之于己，则无由[⑥]矣。

【注释】

①能否：是否有才能。

②历历：清晰。

③驰骛：奔走。

④进趣：亦作“进趋”，求取。

⑤却行：倒退而行。

⑥无由：没有办法。

【译文】

凡人之常情，如果竞争时就会诋毁才能比自己高的人；如果谦让时就竞相推举才能胜过自己的人。所以社会上竞争的风气很盛，就会造成毁誉交错，优劣不分，很难出现谦让之风；社会上谦让的风气很盛，贤德智慧的人就会不断出现，是否真的贤能，以及等次的高低，也就一目了然了，那样的话秩序也不可能混乱了。这时，那些出世而修身的贤德之士被推荐的机会就大增多，他们即使想安守贫贱，也很难做到了。而那些四处奔走、急于求官的人，想被他人推举，就会像自己向后退着行走却希望走到别人前面一样（不能实现）。如果是这样，无论是愚笨还是聪明的人都会懂得，要想进身以求显达，只有提高自自己的修养，没有其他办法。

百官志

【原文】

古之圣哲，深原[①]治道，以为经理群务，非一才之任；照练[②]万几，非一智所达。故设官建职，制其分局[③]。分局既制，则轨体有断。事务不积，则其任易处。选贤举善，以守其位，委任责成。立相干之禁，侵官为曹[④]，离局[⑤]陷奸。犹惧此法未足制情，以义明防，曰：“君子思不出位[⑥]。”夫然，故人知厥[⑦]务，各守其所，下无越分之臣，然后治道可隆，颂声能举。

【注释】

①原：探究。

②照练：熟知。照，察知。练，熟悉。

③分局：分工职守。

④曹：古代分科办事的官署，此处指下属官员。

⑤离局：离开职守。

⑥出位：超越本分。

⑦厥：代词，其，起指示作用。

【译文】

古代的先贤圣哲，深入探究治国的方法，认为管理众务，不能仅靠一人之才就能胜任；熟知各种事务，也不能仅靠一人之智就能达到。因此才会设置各种官职，明确他们的职责。职责明确，那么职责和规章制度就能确定了。政务不会积压，那么他的任务就很容易完成。选贤任能，各守其位，各尽其责。制定严禁相互干预的法令，越权去侵犯其他官员职权的人就降为属官，擅离职守的就按奸臣处治。即使如此，还担心这些不能控制私情，于是又用道义来明确防范，提出："君子做事不超出自己的职责范围。"这样一来，人人都知道自己应该做的事，各司其职，臣下都不去超越本分职守，国家政治才会兴隆，歌颂之声就可以传扬了。

传

【原文】

观乎古今，而考其美恶。古人相与求贤，今人相与求爵。此风俗所以异流也。古之官人，君责之于上，臣举之于下，得其人有赏，失其人有罚，安得不求贤乎？今之官者，父兄营之，亲戚助之，有人事则通，无人事则塞，安得不求爵乎？贤苟求达，达在修道，穷在失义，故静以待之也。爵苟可求，得在进取，失在后时，故动以要之也。天地不能顿[①]为寒暑，人主亦不能顿为治乱，故寒暑渐于春秋，治乱起于得失。当今之世，官者无关梁，邪门启矣；朝廷不责贤，正路塞矣。所谓责贤，使之相举也；所谓关梁[2]，使之相保也。贤不举则有咎，保不信亦有罚。有罚则有司莫不悚也，以求其才焉。今则不然，贪鄙窃位，不知谁升之者；虎兕出槛，不知谁可咎者。网漏吞舟[3]，何以过此？虽圣思劳于夙夜，所使为政，恒得此属，欲化美俗平，亦俟河之清耳。

【注释】

①顿：突然。

②关梁：指对官吏的保举。

③网漏吞舟：法网疏松，大奸之人得以逃脱。吞舟，吞舟之鱼，比喻大奸之人。

【译文】

观察古今的政事，并衡量其好坏，（我们会发现）古人的交往是为了求取贤才，今人的交往是为了求取官职。这就是古今风气不同的原因所在啊。古时候任用官员，君主提出选拔要求，臣子保举推荐，举荐得人受到奖赏，举荐非人就会受到处罚，这样大臣们怎么会不去求访贤才呢？而今天任用官员，父亲兄弟都设法从中钻营，亲戚们都设法帮助他，有了关系就能事事顺利，没有关系就会受到阻碍，这样天下人怎么能不努力谋求官职呢？贤德之人如果想要显达，全在于自身道德的修养，而穷困难以显达是由于自己有失道义，所以他们能够静待时机。官职如果可以通过钻营而获得，那么抢先一步就能加官晋爵，落后就失去了机会，这样人们就会四处钻营求官。天地不能寒暑无常、说变就变，君主也不能在想治理乱象时，马上就能够实现，因此，寒冬暑夏都是从春天和秋天逐渐变化形成的，治世乱世都是由政事得失而导致的。当今时代，选用官员的人不严格把关，邪僻之门就会开启；朝廷不能责令推举贤人，做官的正道就会阻塞。所谓责令推举贤人，就是让官员们互相举荐；所谓从严把关，就是让推荐者与被荐人相互担保。贤德之人没有被推荐，就判官员有罪过；举荐名实不副，官员也要受到惩罚。有了处罚后，负责的官员就会产生恐惧之心，从而能够竭尽全力去求取贤才。今天的情况恰恰相反，贪婪鄙俗的人窃据了要位，却不知道是谁提拔了他们；这就好像老虎、犀牛跳出了栅栏，却不知该追究谁的过错。法令疏漏，让大奸之人得以脱逃，没什么比这个过错更大的了。虽然当今圣上日夜操劳，但所任用的官员常常是这一类人，如此而想使得教化淳美、社会公平，就像等黄河水变清一样困难啊！

附　录

六韬治要

《六韬》又称《太公六韬》《太公兵法》，是一部古代兵书，集先秦军事思想之大成，一般被认为是西周太公望即姜子牙所著，通篇为周文王、武王和太公的问答之辞，讲述治国、治军的策略和战争中的战略战术，受到历代兵家武将的重视，被誉为兵家权谋之始祖。现存《六韬》六卷，分《文韬》《武韬》《龙韬》《虎韬》《豹韬》《犬韬》，共六十篇。

阴谋治要

《阴谋》又称《太公阴谋》《太公阴谋三十六用》，是我国古代著名的兵书，据说是姜太公所著，它与《太公金匮》《太公兵法》合称《太公》。《太公》一书多亡佚，现在仅存《六韬》，即《太公兵法》。

鬻子治要

《鬻子》是西周时道家著作，书中已有关于“道”守柔、辩证的思想。今存清叶德辉校辑本，共十四篇。鬻子，姓芈，名熊，商末周初人。据说是上古时祝融氏的后代，周初文王、武王、成王的老师。

管子治要

《管子》是记录春秋时齐国政治家、思想家管仲及其言行、事迹的作品，也是战国时各家学派的言论汇编，篇幅宏伟，思想丰富，涵盖法、儒、名、道、兵、农、阴阳等诸家思想。现存的《管子》由西汉刘向编定，共七十六篇，分为《经言》《外言》《内言》《短语》《区言》《杂篇》《管子解》《管子轻重》。

晏子治要

《晏子》，原名《晏子春秋》，是记载春秋时期齐国政治家晏婴言行的一部历史典籍，是我国最早的一部短篇小说集。相传为晏子所作，一般认为是后人集录而成。全书共八卷，二百一十五章，分内、外两篇。其思想非儒非道，推崇尚俭。过去疑古派认为《晏子春秋》是伪书，自1972年银雀山汉墓出土文献证明《晏子春秋》并非伪书。

司马法治要

《司马法》，又称《司马穰苴兵法》，是春秋时期重要军事著作，约成书于战国初期。今存三卷，五篇，记载了从殷周到春秋战国时的一些作战原则和方法，在军事思想方面具有重要的研究价值。司马穰苴，春秋末期齐国人，原姓田，被齐景公封为大司马，故又称司马穰苴。

孙子兵法治要

《孙子兵法》又称《孙武兵法》，是世界上最早的兵书之一，被誉为“兵学圣典”。共十三篇，由春秋末年孙武草创，经其弟子整理成书，总结了春秋各国战争的经验，集中概括了战略、战术的一般规律。

老子治要

《老子》又称《道德经》，共八十一章，分为“道经”和“德经”两部分，以哲学意义之“道德”为纲，论述了修身、治国、用兵、养生之道，而多以政治为旨归，文意深奥，包罗万象，被誉为“万经之王”。老子，姓李名耳，字伯阳，生活于春秋后期，据说是周朝史官，后出函谷关西去。被称为“中国哲学之父”，和发扬道家思想的庄子并称“老庄”。

鹖冠子治要

《鹖冠子》是一部先秦道家及兵家著作，共三卷，十九篇。作者鹖冠子，为战国时楚国隐士。本书主要阐述道家学说，杂以刑名之学，也有天文学方面的内容。

列子治要

《列子》，又名《冲虚真经》，由战国早期道家学派代表人物、著名思想家、寓言家和文学家列子及其后学所撰。今本《列子》八篇，分别是《天瑞》《仲尼》《汤问》《杨朱》《说符》《黄帝》《周穆王》《力命》，内容多为民间故事、神话传说、寓言等，《愚公移山》《两小儿辩日》即出于此书。书中提到的“天体运动说”“地动说”“宇宙无限说”等，都远远早于西方同类学说。

墨子治要

《墨子》为战国时墨家学派创始人、思想家、军事家墨翟所著，是先秦墨家思想的总集，书中内容广博。原有七十一篇，今存五十三篇。墨子提倡兼爱、非攻、尚贤、尚同、天志、明鬼、非命、非乐、节葬、节用，对哲学、逻辑学都有所研究。同时，先秦的科技成就大都依赖《墨子》以传。

文子治要

《文子》又名《通玄真经》，是道家典籍。作者为据说与道家始祖老子有师承关系的文子。《汉书·艺文志》道家类著录《文子》九篇。

曾子治要

《曾子》为曾子及其弟子所作。曾子，姓曾，名参，字子舆，春秋末年鲁国人，是孔子门下弟子，积极推行儒家主张。他参与编撰了《论语》，撰写了《大学》《孝经》《曾子十篇》等作品，被后世尊称为“宗圣”，与孔子、颜回、子思、孟子共称“五大圣人”。

吴子治要

《吴子》又名《吴起兵法》《吴子兵法》，是我国一部重要的军事典籍，主要辑录了战国时卫国著名的军事家吴起的军事经验。后世将《吴子》与《孙子》合称《孙吴兵法》。《汉书·艺文志》载《吴子》四十八篇，大多亡佚。今本《吴子》二卷，六篇，分为《图国》《料敌》《治兵》《论将》《应变》《励士》。

商君子治要

《商君书》，又称《商子》，战国时法家商鞅及其后学著作的汇编，是法家学派的代表作。该书约成书于战国末年，着重记载了商鞅辅佐秦孝公进行变法的理论和具体措施。今存《商君书》二十四篇，全书内容庞杂，涉及政治、经济、军事等诸方面。

尸子治要

《尸子》，先秦杂家著作，战国尸佼所撰。尸佼是商鞅的上客，商鞅死后，尸佼怕受到牵连，逃往蜀国，后对法家思想进行反思，取各家之长，撰成《尸子》一书，其中提出的“四方上下曰宇，往古来今曰宙”，是“宇宙”一词的由来。该书在秦统一后与各家学说一样难免遭到禁毁，于唐代重被辑成，《群书治要》存其佚文十三篇。

申子治要

《申子》，由战国时申不害所撰，原有两篇。清朝马国翰《玉函山房辑佚书》有《申子》辑本，并非原貌，比较完整的有《群书治要》所引《大体篇》和一些佚文。申不害，东周郑国人，著名思想家和改革家，法家代表人物，以“术”著称于世。

孟子治要

《孟子》，儒家经典之一。共七篇，十四卷，是一部语录体散文集，成书于战国中后期，由孟子及其弟子共同编撰。孟子，名轲，战国时邹国人，儒家学派代表人物，继承并发展了孔子思想，被称为“亚圣”，他认为人性本善，强调人格完善，其学说与孔子学说，称为“孔孟之道”。

慎子治要

《慎子》一书，今存七篇，即《威德》《因循》《民杂》《德立》《君人》《知忠》《君臣》。作者慎子，名到，战国时赵国人。慎到先学道家，后成法家代表人物，游学齐国，在稷下学宫讲学多年，享有盛名。慎到也重视“势”“术”“法”，他主张君主如果要实行法治，就必须注重权势，这样才能令行禁止。

尹文子治要

《尹文子》是一部先秦论法术和形名的专著。今存《大道》一卷，分上下两篇，上篇讲述形名理论，下篇讲述治国之道，该书语录与故事混杂，各段自称始终。尹文，战国时齐国人，“宋尹”学派始祖，其思想以名家为主，综合道法，不排斥儒墨。书中的形名论思想，对语言的指称与内涵等关系进行了思考，形成了早期逻辑学的雏形。

庄子治要

《庄子》又名《南华经》，是一部道家的经典著作，和《周易》《老子》并称“三玄”。庄子，名周，字子休，号南华真人，战国时宋国人，道家学派代表人物，著名思想家、文学家。今存《庄子》三十三篇，分为《内篇》《外篇》《杂篇》，一般认为内篇是庄子所著，外篇为庄子及其弟子所写，杂篇则是庄子学派托名而作。《庄子》一书反映了庄子的哲学观、人生观、政治观等。该书包罗万象，对宇宙、人与自然的关系、生命的价值等都进行了论述。

尉缭子治要

《尉缭子》是中国古代一部重要的兵书，成书于战国晚期。共五卷，二十四篇，前十二篇主要论述战争和政治，后十二篇讲先秦军令和军事制度。作者据说是魏惠王时的隐士。本书从人性论的角度考察了人的心理，提出了很多治国思想。

孙卿子治要

《孙卿子》，即《荀子》。荀子，名况，儒家代表人物，被尊称为“卿”，战国时赵国人、著名思想家、文学家。西汉时因避汉宣帝刘询讳，又称孙卿。他发展了儒家思想，提倡性恶论，认为人定胜天，反对宿命论。《孙卿子》今存三十二篇。全书内容大都通篇议论，论点、论据齐备，结构完整，说理透彻，标志着论说散文的成熟。

吕氏春秋治要

《吕氏春秋》又称《吕览》，先秦杂家名著，由秦朝丞相吕不韦召集门客共同编撰，成书于秦始皇统一前夕。全书共二十六卷，一百六十篇，分主论天时的十二纪、主论人事的八览、杂以地理及各家学说的六论。《吕氏春秋》注重博采众家学说，以道家思想为主，兼具阴阳、儒墨、名法、兵农等诸家学说，主要的宗旨属于道家。

韩子治要

《韩子》是《韩非子》一书旧称，先秦法家著作。今存五十五篇，绝大部分为战国末期法家学说集大成者韩非所作。本书宣扬了法、术、势三者结合的法治理论，强调以法治国，以利用人，认为人与人之间只有利害，没有仁爱，对秦汉以后的中国封建社会制度产生了深远影响。该书言辞犀利，逻辑严密，思想深刻，在先秦诸子著作中独具特色。

三略治要

《三略》原称《黄石公三略》，我国古代著名的军事著作，与《六韬》齐名。本书分为《上略》《中略》《下略》，糅合了诸子思想，从政治策略上阐明治国用兵之道。相传作者是汉初隐士黄石公。据考证其成书时间不会早于西汉中期，是后人吸收先秦军事思想，对秦以及汉朝初年政治统治和治军用兵经验的总结，并假托前人名义编纂而成。

新语治要

《新语》由西汉政治家、文学家、思想家陆贾所撰，共十二篇。本书自成一家，思想深邃，体现了秦汉散文雄伟粗豪的风格。

贾子治要

《贾谊新书》又名《贾子新书》，是西汉初年著名政论家、文学家贾谊的文集，多数为论文，也有答问和告诫之语。由刘向整理编辑而成。

淮南子治要

《淮南子》，又名《淮南鸿烈》，由西汉淮南王刘安及其门客编写。今存二十一篇，内容以道家的自然天道观为中心，糅合了法、墨、阴阳和部分儒家思想，对汉初的黄老思想做了系统而详尽的总结，其中也有一部分神话传说。班固在《汉书·艺文志》中将其归入“杂家”，《四库全书总目》亦归入“杂家”，属于子部。

盐铁论治要

《盐铁论》共六十篇，是西汉桓宽根据汉昭帝时著名的“盐铁会议”记录整理撰写的一部官方文献，以对话体方式呈现，主要记述了当时对汉武帝时期的政治、经济、军事、外交、文化等的一场大辩论。桓宽，字次公，汉宣帝时为郎中，后任庐江太守丞。

新序治要

《新序》是西汉著名学者刘向编撰的一部以讽谏为主的历史故事类编，现存十卷，一百六十六条，另有五十九条佚文。全书分为《杂事》《刺奢》《节士》《义勇》《善谋》。其故事大多数集中在春秋时期，思想基础是儒家学说。许多章节故事完整，情节曲折，人物形象生动，有虚构成分，已具备了小说的某些因素。

说苑治要

《说苑》，又名《新苑》，是我国古代的杂史小说集，全书共二十卷。由作者刘向按类编选先秦至西汉趣闻逸事，每一类前面有总说，后面加按语，主要是作者议论之言。内容以记述诸子言行为主，以体现儒家思想、政治理想以及伦理观念为要，文学性很强。

桓子新论治要

《桓子新论》，又称《新论》，由东汉著名学者、哲学家、经学家桓谭所著，共二十九篇，早亡佚。今存的《桓子新论》，以清代严可均《全汉文》辑本较为完备。钱锺书《管锥编》极赞叹，说此书若全，堪与《论衡》相伯仲。

潜夫论治要

《潜夫论》由东汉政论家、文学家王符所撰，全书共十卷，三十六篇，主要讨论治国安民之道，对东汉末年社会现实予以揭露和批判。本书有四部丛刊本，清代汪继培有《潜夫论笺》，今存三十五篇，《叙录》一篇。

崔寔政论治要

《崔寔政论》共五卷，全书已亡佚，仅部分见于《后汉书·崔寔传》和《群书治要》中。主要提倡节俭，禁止奢僭，反对贪污，提高官吏待遇以养廉，实行徙民实边的政策等。作者崔寔，字子真，东汉政论家，出身于名门高第，他敢于抨击黑暗的现实，主张根据形势进行革新。

昌言治要

《昌言》是一部政治论著，由东汉末年哲学家、政论家仲长统所传。原书已亡佚，《后汉书》节选《理乱》《损益》《法诫》三篇，《群书治要》《太平御览》等书保存部分条目。本书针对东汉末年社会的弊病，提出了“人事为本，天道为末”的观点。

申鉴治要

《申鉴》是东汉末年的思想家荀悦的政治、哲学论著。全书共五篇，包括《政体》《时事》《俗嫌》《杂言》（上、下）。《后汉书》本传说，荀悦志在辅佐汉献帝，因曹操揽政，“谋无所用，乃作《申鉴》”。意为重申历史经验，供皇帝做借鉴。

中论治要

《中论》属于子部的一部政论著作，历代史书大多将其列入儒家。《群书治要》辑有《中论》逸文《复三年丧》《制役》两篇，今存《中论》已非完本。作者徐幹，字伟长，魏晋时北海人，建安七子之一。

典论治要

《典论》是我国最早的文艺理论批评专著，由三国时曹丕所撰，原书二十二篇，今仅存《自叙》《论文》《论方术》。《典论·论文》是我国文学批评史上的第一篇专题论文，是汉魏文学批评史的重要文献，涉及了文学批评态度、作家个性与作品风格、文体区分、文学价值等问题。

刘廙政论治要

《刘廙政论》也称《政论》，共五卷，原书已亡佚，《群书治要》节选了其中八篇。作者刘廙，字恭嗣，三国时魏国名士，曹丕代汉称帝时，拒不降曹。

蒋子万机论治要

《蒋子万机论》，曹魏时蒋济所撰，原书已亡佚，《群书治要》节选了其中三篇。作者蒋济，字子通，三国时魏国重臣，历仕曹操、曹丕、曹叡、曹芳，官至太尉。

政要论治要

《政要论》又称《代要论》，或称《桓范新书》《桓范世论》，《群书治要》节选《政要论》十四篇，据各书修补增订为一卷。作者是桓范，字元则，曹魏大臣，有文采，善丹青，建安末年入丞相府，与王象等共同撰写《皇览》。正始年间任大司农，为曹爽出谋划策，号称“智囊”。

体论治要

《体论》，为魏幽州刺史杜恕所撰，共八篇，分为《君》《臣》《言》《行》《政》《法》《听察》《用兵》，唐末时亡佚。《群书治要》中节选了六千多字，不题篇名，为《君》《臣》《行》《政》《法》《听察》六篇。

时务论治要

《时务论》由晋征南军师杨伟所撰写，原书十二卷，后亡佚。《群书治要》中保存了较为完整的佚文两篇。

典语治要

《典语》由三国时吴国陆景所撰写，其书已亡佚，仅《群书治要》存其大概内容。当时吴国正处亡国之境，陆景为此提出了治国方略，劝喻吴主“远小人，亲贤人”。陆景，字士仁，其父为吴国偏将陆抗。

傅子治要

《傅子》是魏晋时期的一部重要史书，以宣扬儒家思想为主，今存二十四篇，多以儒家学说为其立论根据，也间或有道家思想掺入其中。作者傅玄，字休奕，是一位由魏入晋的政论家、哲学家和文学家。

袁子正书治要

《袁子正书》是一部论述治国之道的图书，主要阐述了西晋政论家袁准的政治主张和经学思想。魏晋时期子部图书散佚非常严重，本书也难以避免。幸有《群书治要》选录了八千多字，因此才得以流传。

抱朴子治要

《抱朴子》，是一本著名的道家典籍，东晋葛洪所著，抱朴是道教术语，源于《老子》的语句“见素抱朴，少私寡欲”。《抱朴子》分为内、外两篇。今存《内篇》二十篇，主要讲述神仙方药、炼丹符箓等；《外篇》五十篇，主要阐述时政得失、人事臧否，属于儒家范畴，这正显示了作者先儒后道的思想轨迹。全书总结了战国以来道家中的神仙理论，并与儒学融为一体，确立了道教的神仙理论体系。